開卷有益

國泰銀行
CATHAY BANK

明報
MING PAO DAILY NEWS

敬贈

伍爾芙小說《奧蘭多》出版的第一年賣出八千冊，其後一版再版，又被搬上屏幕，走入更多的視野。（文章詳見頁2）

伍爾芙的作品令讀者感受到奇妙的文學想像力（文章詳見頁 2）

阿特米西亞《自畫像》（文章詳見頁 31）

阿特米西亞名畫《朱蒂斯斬賀棼尼》
（文章詳見頁 31）

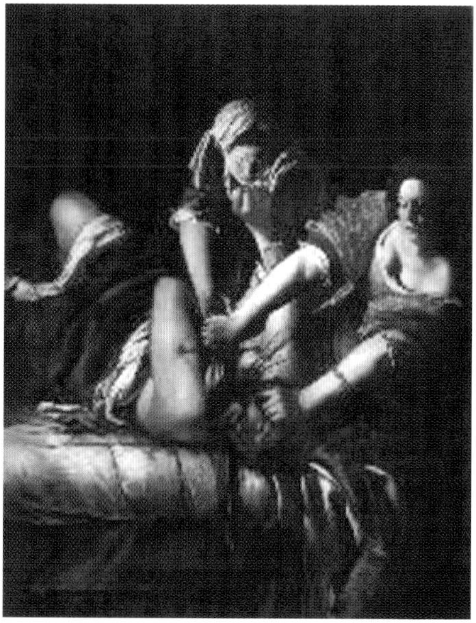

阿特米西亞是十七世紀歐洲著名的「女神童」畫家（文章詳見頁 31）

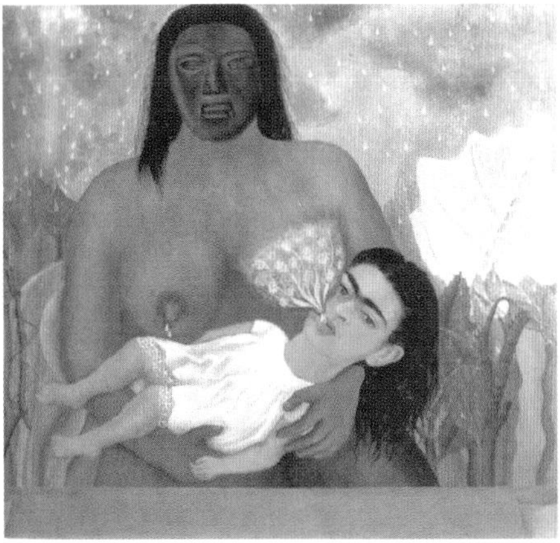

費麗達《我的奶娘和我》（左）、《兩個費麗達》（右）傳遞着人生的痛苦與殘酷及內心複雜的真實情感（文章詳見頁43）

《小鹿》畫中，小鹿的臉是費麗達的臉，神色鎮定地看着我們。（文章詳見頁43）

崔明霞的每一部電影都很有深度，極富創意（文章詳見頁 76）

崔明霞的電影屬於典型的「女性書寫」（文章詳見頁 76）

美國先鋒派電影之母：瑪雅

（文章詳見頁60）

美國女作家凱特（左、下圖）（文章詳見頁17）

明月文庫

狂歡的女神

劉劍梅 著

明報出版社
明報月刊

明月文庫

顧問委員會名單

王　蒙　李澤厚
李歐梵　余光中
余英時　吳冠中
吳宏一　金耀基
周策縱　柏　楊
馬悅然　高行健
劉再復　劉紹銘
聶華苓　饒宗頤

（以姓氏筆劃爲序）

謹以此書

獻給我的生命之源：

父親　劉再復

母親　陳菲亞

劉劍梅

劉劍梅簡歷

劉劍梅，北京大學中文系學士，美國科羅拉多大學東亞系碩士，美國哥倫比亞大學東亞系博士，現爲美國馬里蘭大學亞洲與東歐語言文學系副教授。曾出版過《共悟人間——父女兩地書》(與劉再復合著，香港天地圖書，二〇〇〇年；上海文藝出版社，二〇〇一年；台北九歌出版社，二〇〇三年)、《革命加戀愛：文學史、女性身體與主題重複》*Revolution Plus Love: Literary History, Women's Bodies, and Thematic Repetition in Twentieth Century Chinese Literature*（美國夏威夷大學，二〇〇三年）。

「星斗其文，赤子其人」

——《明月文庫》總序

潘耀明 《明報月刊》總編輯

回望過去碌碌人生的跋踄，最難忘的還是作為《明報月刊》凡十年的編者生涯。在這條路上留下的斑斑印迹，恁地是雜沓的、歪斜的，還是深邃的、倔強的，都格外值得珍惜。偶爾午夜夢迴，瞥見同事的辛勞背影，和與此相牽連的作者及關愛的文友，是那麼炯亮、親切，這份深穎的感念，正是我們編輯《明月文庫》的緣由。

我初時是《明報月刊》的讀者、慕名者，進而成為她的編者，其過程歷歷恍如昨天。經過卅六年來歷任主編的辛勤耕耘，《明報月刊》已成為知識分子自由表達思想的園地。因了作者群星的烘托，《明月》如一輪天地間的皓月，照拂人間，雖也經歷浮沉，但畢竟留下一脈清輝。

歲月倥傯，物換星移，《明月》所以能夠屹立逾三分之一世紀，除了讀者的愛戴，主要獲得凝聚在她身邊的作者隊伍、文化精英的支持。與我們同舟共濟者，有四海八方的清流志士。打開《明報月刊合訂本電子版》，映入眼帘的是琳琅滿目、才思橫溢的文章和響亮的作者名字。張充和女士比喻沈從文的道德文章——「星斗其文，赤子其人」，我們不妨移用於此，借以表達支持《明月》友人的敬意與謝意。

在《明報月刊》上登載過的許多文章，並沒有隨時間的流逝而消亡，它們仍然充瀰生命活力，在這些文章中，不乏是從內心深處流淌出來的真情率性，「率志委和，則理融而情暢」（劉勰《文心雕龍．養氣》），天然就有一種引人入勝的思緒和魅力。我們盼望選出精華部分，披沙揀金，彙編成冊，給中國文化及出版史敷上薄光微彩。

我們希望這套文庫從內容到裝幀、設計、印刷都能臻善臻美，但由於各方面的條件有限，不足的地方自然難免，期望讀者指疵覽正，參與我們的《明月》事業。

二〇〇二年五月廿二日

目錄

輯二：自說心事

輯三：也悟滄桑

輯四：讀書視角

序：親情與才情的雙重詩意

劉再復

這次到馬里蘭大學看望劍梅，除了在草圃上跟着小孫子追逐蝴蝶與蜻蜓之外，就是敦促她編出一部中文寫作的集子。昨天，她的第一部英文著作《革命與情愛》（*Revolution Plus Love*）剛剛由夏威夷大學出版社出版，正在高興，便趁機又催促她。可是，她說：「過去所寫的好像是匆匆走過的台階，總覺得以後會往上走，還是等等吧。」無可奈何之下，我只好說：「你忙，我來替你編。」她點頭答應後竟然找不到許多已發表的文章，我只好憑記憶爲她搜索了好幾天。我雖然有點不滿她如此滿不在乎，但也喜歡她生來就有的不太看重名聲的脾氣。不知道爲什麼，她天生就有一種老莊氣質，雖喜歡讀書思考，卻更喜歡生命自然。她的同事、馬里蘭大學東歐亞洲語言文學系的美國教授曾對劍梅說，我喜歡並研究中國的老莊哲學，但在你身上，才明白什麼是道家文化。劍梅的這種氣質，派生出與世無爭的從容與瀟灑，但也派生出不願意「拚命硬幹」的慢吞吞，遠不如我的刻苦與勤奮。

我的英文不好，對她的英文專著，只能讀懂大意，感受不了她的文采與格調。歐梵兄曾稱讚她的英文十分優雅，可惜我沒有品賞的幸運。而她的漢語文章，無論是散文，還是論文，我則每篇必讀，也深知它的得失。前幾年，她和我合寫《共悟人間——父女兩地書》，集中精神地練了一次筆，很有長進。以後，我們又應《亞洲週刊》總編輯邱立本兄的邀請，共同爲該刊開闢「共悟天涯」的專欄，每篇近兩千字。她寫的這組文章（十幾篇）相當好，既有思想又有獨到的文字，香港許多朋友也十分讚賞。這之後，她又獨自寫了一組評論分析世界上一些女性藝術天才的文章，從《費麗達：自我畫像的極致》到《凱特・蕭邦：「壞女人」的百年震撼》，每一篇讀後都讓我驚喜不已。這些文章她眞下了工夫。寫作時，她閱讀了評論對象的英文傳記或自述，參考許多英文評論書籍，自己也認眞地進行了思索。劍梅本來就擅長女性批評視角，這次她選擇的又是人間的女性詩意生命，因此，文氣相當痛快淋漓，對那些歪曲女性天才的世俗偏見，也作了相當尖銳的批評。這組文章，內地的文學藝術批評者由於難以閱讀英文原始資料，大約較難寫出。我很欣賞她的這組文章，並覺得她找到自己的中文寫作路子——可以充分發揮自己特長的路子。這是典型的學術散文。其中有對女性天才的熾熱情感，有不容質疑的辯護，劍梅稱她們是擁有凱薩般的靈魂的狂歡女神，獻給她們以至情至性的禮讚文字；又從自己的女性批評眼睛，對她們進行超脫世俗的評論，從而在思想與文采中顯出詩意。可惜學院職業角色的既定邏輯，要求劍梅必須立即進入第二部英文著作的寫作，否則這組文章不斷寫下去，成果一定會十分豐碩。

我不避諱和劍梅的父女關係，向讀者首先推薦她評述女性藝術天才的幾篇文章，同時也欣賞她在耀明兄敦促下所寫的小品文，如《抱着娃娃到香港》、《「第二祖國」門前的徘徊》、《簾外秋雨正潺潺》等，這些短小散文是她生命景觀的自我描述，不失眞性眞情。我曾調侃她的這些散文是「訴苦文學」，這些文字的確有許多人生艱辛的訴說，但在「叫苦」的背後，卻讓人感到她如荷爾德林所說，追求的是詩意地棲居在大地上。在她的思索世界裏，詩意不是教授的頭銜，不是學問的姿態，而是生命之眞與情感之眞，是把對孩子、父母、丈夫、姐妹、朋友具體的愛推向全人間的脈脈情懷。

劍梅把張愛玲的「流言」概念和法國的女性主義理論家伊莉格瑞（Luce Irigaray）的「流質體」概念加以引伸，把自己的寫作方式定義爲「水上書寫」，並逐步成爲一種自覺的寫作理念。我很喜歡「水上書寫」這一意象性理念，這說明劍梅確實拒絕固定化的寫作心態，嚮往不拘一格的精神漫遊者作風，而且還反映出她的寫作低姿態。水流總是在低處。在熱衷爭奪話語權力的文壇中，寫作眞是一種冒險，搞不好反而越寫越自大，越寫越不知天高地厚。「水上書寫」至少不會越寫越自大，而會越寫越自由，越寫越謙卑。

劍梅很重親情，她把《共悟人間——父女兩地書》獻給奶奶葉錦芳，把第一部英文著作獻給我，在扉頁上特題下：To my dear father, Liu Zai Fu。劍梅小時候一片天眞憨態，膽子又小，爲了激勵她，我和她媽媽菲亞在她上幼兒園時把她的名字從「棠棣」改爲「劍梅」，棠棣就算是她的名字。棠棣之花乃是兄弟之花，我們期待她永遠擁有四海之內皆兄弟的襟懷，但又希望她剛毅自強，便給她一個俠女般的名字，盼望她帶着一點俠氣開闢自己的路。她後來果然不負我們的期望，在課堂上總是很敢提問，在海外的學術場合，也總是不迴避問題，很有質疑的勇氣。有次她的博士生導師王德威教授對我說：沒想到劍梅還很有大將風度。今天我爲她編輯集子和作序，心情格外欣喜，眞感受到親情與才情的雙重詩意。

二〇〇三年十月十二日

輯一：狂歡女神

伍爾芙：在詩中狂歡的奧蘭多

一

一九九九年得到普立茲文學獎的小說《時時刻刻》（*The Hours*）被搬上銀幕後，弗吉尼亞·伍爾芙（Virginia Woolf）的《達羅威夫人》（*Mrs. Dalloway*, 1925）居然在二〇〇三年上了美國暢銷書榜。一談起伍爾芙，人們總是忘不了這位才女對死亡的眷戀。《時時刻刻》就是以伍爾芙的自沉作爲引子：她在天空漸漸變黑的黃昏走向河邊，往大衣口袋裏放滿石子，然後堅定地一步步走進寒冷的水流，投進那終極的故鄉。她對水的依戀由來已久，也許只有這靜靜的流體，才能撫慰她過於敏感動盪的靈魂。在《海浪》（*The Waves*, 1931）裏，她寫道：

> 這會兒我的心靈能夠湧出我自己。我想像我的艦隊在高高的浪濤上航行。我從種種僵持的關係中和激烈的衝突中解脫了。我獨自一人在白色的懸崖下向前駛去。啊，我沉，我落！

《時時刻刻》這部電影使人們更加忘不了伍爾芙留給丈夫的遺書，似乎她所選擇的死只是加倍地證明了她的「瘋」與她的病，然而她爲什麼拋下「給了她最大幸福」的丈夫，爲什麼害怕又一次發病卻沒有得到解釋。有人說她選擇自殺是因爲她經歷了母親的死、父親的死、姊姊斯苔拉的死和外甥的死而感到絕望；也有人說她不希望帶給丈夫痛苦；也有人說因爲她天生就厭惡戰爭，由於無法忍受被炸死，她選擇了從小就摯愛的流水；還有人說因爲她害怕發病後無法再繼續寫作。也許這些理由都有它們的根據，但我更相信最後一種說法，因爲如果她病了，她就不能再繼續創作了，那麼活着對她來說便沒有意義。延續她生命的意義只存在於她的寫作中：寫作是她的生命線，只有寫作的時候，她才不孤獨，才有安全感。

思索着她的死亡的同時，我卻念念不忘伍爾芙的另一部小說《奧蘭多》（*Orlando*）。但這不是關於死而是關於生的作品，主人公奧蘭多活了整整四個世紀，從十六世紀的伊麗莎白時代一直跨越到伍爾芙寫作的「現時」——一九二七年。小說開始時奧蘭多是一位風度翩翩、天真無邪的貴族少年，深受伊麗莎白女王的寵幸。詹姆斯王登基後，大冰凍降臨，奧蘭多瘋狂地愛上了一位俄羅斯公主，失戀後隱居鄉間大宅，埋頭寫作。由於迷戀文學和詩歌，他設法與詩人格林相識，但反而受到戲弄。後請纓出使土耳其，在一次暴動中奧蘭多突然從男子變爲女子，隨吉普賽人流浪。等她再次返回英國，已是十七世紀。雖是上流社會的貴婦，她對文學的熱愛一如既往，結識了當時許多著名文人，並繼續寫作。進入維多利亞時代時，她嫁給了一位航海家。到故事結束時已是現代社會，那時她才三十七歲。她的作品《大橡樹》已得到出版，並獲得大獎，又有了一個女兒，而百年大宅卻成了供人參觀的博物館。最後，在古老但仍然非常茂盛的大橡樹下，她思考着文學的意義。這部關於永生的小說，既是一本關於男女性別的書，又是一本關於文學閱讀和寫作的書。它讓我更加相信，無論是瞬間還是永恆，無論是生還是死，伍爾芙都只是爲寫作而生，爲寫作而死，而最後，她留下的文學作品，也如奧蘭多一樣，永遠年輕，永遠擁有生命。

二

《奧蘭多》是我心目中最有趣的一本小說。雖然我也喜歡《達羅維夫人》和《到燈塔去》（*To the Lighthouse*）中那些充滿實驗性的文學敘述方式，但是《奧蘭多》卻令我眞正感受到伍爾芙奇妙的文學想像力。奧蘭多是一個跨越時間、跨越空間、甚至跨越性別的人物，天馬行空地遨遊於歷史、文學、政治、愛情、男性世界以及女性世界裏，用好奇的眼睛觀看着世界天翻地覆的變化，以敏感的心靈感受着男女性別的差異。伍爾芙自己稱之爲「寫作者的假日」和「一個大玩笑」，但我卻對它產生了深深的共鳴。也許在我的心裏，文

《奧蘭多》是一首禮讚閱讀之樂的情慾頌詩

學就應該是這樣的——應該有奇妙的顏色，應該有飛翔有超越時空的翅膀。

女學者凱莉·苔德頓（Kelly Tetterton）在一次關於伍爾芙文學作品的研討會上重新探討了《奧蘭多》。跟以前的學者不同，她並沒有分析本文，而是着眼於《奧蘭多》的出版與包裝，對歷史上不同時期的版本做了一番細緻的考證和解讀。她選擇的這個角度很有意思，從中不僅可以看到出版商與讀者的心理變遷，還可以看到《奧蘭多》的多層內涵。一九四六年企鵝（Penguin）出版的《奧蘭多》的封面是一位身着文藝復興時期的服裝的男孩在大樹下寫作，而一架飛機從頭頂上飛馳而過。時代的飛躍就如同飛機一樣，劃破長空，四百年轉眼即逝；而文學和詩則如同大自然一樣永恆，如大橡樹一般富有生命力。一九六〇年由辛格聶（Signet）出版的封面則是英國大冰凍時期的滑冰者，取自書中對那段節慶氣氛的描寫。伍爾芙在《奧蘭多》中對大冰凍時期貴族的狂歡氣氛的奇妙想像，是文學的一次狂歡。這兩個封面都沒有突出男女的性別問題，而是向讀者展示文學是一個超越現實的想像世界。企鵝出版商在封底做了一些關於伍爾芙的介紹，而辛格聶出版商則在封底對《奧蘭多》進行了一番宣傳：「奧蘭多的故事是一個大膽的鬧劇，一段幽默的歷史，一個在小說世界裏最具幻想意味和幻想性格的有趣的浪漫故事。」顯然，這些文化生產和製作揭示了四十年代和六十年代的社會文化心理，那就是，當時的讀者只重視文學藝術的本質，重視文學的想像空間，而還未從女性主義的角度來閱讀伍爾芙。小說人物奧蘭多的雙重性別問題被忽略了。

一九七三年的HBJ（Harcourt Brace Jovanovich）版本則大規模地炒作奧蘭多的雙重性別問題，封面是兩位長相相似的男性和女性，中間被一個時鐘分開。正如小說中所描述的，奧蘭多在十六世紀是男子，而在後面的三個世紀則是女子。這個版本的封底寫道：「伍爾芙創造了一個不受時間和性別約束的人物。《奧蘭多》不僅智慧地提供了關於華麗的英國歷史、社會和文學的想像，而且機智地從女性主義的角度對男女性別重新做了一番評價。」一九九三年的QBC（Quality Paperback Book Club）的封面則是一個手握羽毛筆的女性，頭髮上裝飾着誇張的樹葉，封底有一個很明顯的紫色的三角形，似乎象徵着同性戀和雌雄同體。當然，這一設計與八、九十年代對女性主義和同性戀的重視緊密相連。想想看奧蘭多從四十年代封面上的大橡樹下的少年過度到九十年代封面上性別曖昧的女性，這其中的文化涵意經歷了多大的歷史變遷？《奧蘭多》的本文依舊在那裏，可是不同歷史時期的讀者卻有完全不同的解讀與接受方式。羅蘭·巴特所宣佈的「作者已死」的口號在這些不同封面的設計中得到了最好的印證。

我雖然覺得凱莉・苔德頓的論文很有創意，結合了視覺語言和文字，把批評視角從文本批評轉向了文化批評，但是我認爲她缺乏批判意識，只是一味地認同當今的女性主義批評的政治理論，認爲現在的讀者比起過去的讀者更有性別意識，更加進步、更加敏銳了。雖然早期的讀者沒有從女性主義來閱讀《奧蘭多》乃是一大失誤，但這並不意味着現在的讀者就比以前的有了很大的進步。事實上，當不同歷史時期的出版商選擇不同的賣點時，他們的炒作方式只是爲了適應所謂的「時代精神」，而這一時代精神正是伍爾芙在《奧蘭多》所極力諷刺的。女性主義的閱讀方式是符合當下的時代精神了，但是，它一樣會把我們引向另一個誤區，那就是令我們忘記大橡樹下那位執着於文學與寫作的奧蘭多，忘記這一超越性別的人物所孜孜不倦追尋的其實是詩歌的永恆之美。

三

縱觀八、九十年代西方學界對《奧蘭多》的重新闡釋，我們會發現批評的聲音過於單調，大部分學術文章都是從性別的角度或文化批評的角度來解讀這部小說的。其中一個重要原因是奧蘭多的性別轉換問題，再者就是伍爾芙著名的《自己的房間》奠定了她作爲「女性主義批評」的祖師奶奶的地位。

許多學者如凱倫．勞倫斯（Karen Lawrence）和亞當．派克（Adam Parkes）等紛紛談論奧蘭多的同性戀傾向。因爲奧蘭多的原形取自伍爾芙的女友維塔，而維塔本人不僅是個詩人，也是個有名的女同性戀，她出身名門望族，常常活躍於上流社會的社交場合，曾爲祖傳大宅的繼承權而捲入官司，後又因無男嗣而敗訴。奧蘭多的傳記就好似維塔的傳記，只不過伍爾芙用的是一種反諷的語氣，其中也有她自己身影的投射。在伍爾芙寫作的年代，公開談論同性戀的問題會惹上官司，所以她故意在奧蘭多從男性變爲女性時引出「純潔」、「貞操」和「謙恭」三位小姐，來戲弄傳統傳記作者所追求的「眞相」。據學者們考證，爲了通過審查，伍爾芙刪去了草稿中關於同性戀方面的描述，只是在小說中寫道：「讚美上帝，讓我成爲女人……在此之前，奧蘭多愛過的都是女人。現在雖然她也是女人了，但人的精神狀態適應常規總有些落後，所以她愛的依然是女人。」而帕米麗．考依（Pamela Caughie）等學者則指出伍爾芙實際上是在塑造女性的主體性，男性的奧蘭多只不過是這一主體性的前奏。當奧蘭多是少年男子時，他所經歷的大冰凍、失戀和政治外交已令他一步步地走向異化，只有當他變爲女人後，才重新變得完整，並在寫作中找回了眞實的自我。所以說雖然奧蘭多似乎是雌雄同體，可是這一人物並沒有眞正超越男女性別，性別的超越只是一種修辭戰略，其深層含義是爲了挑戰傳統的男女性別的等級觀念，並通過女性主義的視角，把從文藝復興以來的英國文學歷史從男權中心的傳統中解放出來。可以說，《奧蘭多》開了女性小說的先河。

這一系列立足於奧蘭多性別轉換上的閱讀，確實令人大開眼界，然而，在衆多雷同的聲音裏，《影響的焦慮》的作者弗羅姆卻發出了一個「另類」的聲音，他在著名的《西方經典》中有一章題爲「伍爾芙的《奧蘭多》：以閱讀之愛呈現的女性主義」，談到《奧蘭多》實際上是一首禮讚閱讀之樂的情慾頌詩。「奧蘭多既非維塔也非伍爾芙，她／他是美學觀與讀者的文學之愛的化身。」一向主張回歸「古典」的弗羅姆反對把伍爾芙的作品貼上政治的標籤，反對把她限定在「學院政治」的範圍內，而強調伍爾芙對文學的那份特殊的愛和激情，強調她的美學感知。「伍爾芙的閱讀之愛既是其眞切的情慾流動，也是她的世俗神學。」弗羅姆認爲《奧蘭多》中的世界是在美學的觀照下重新組構的世界，所以如果我們將美學關懷完全拋諸腦後，只是把它當作「文化批評」和「政治理論」來閱讀，是絕對無法看清伍爾芙的原貌的。他指出，即使伍爾芙是個女性主義者，那麼她的女性主義也不是「一種理念或多種理念的組合，而是一連串動人心魄的識覺與感知，因而才顯得堅實與耐久。」的確，弗羅姆所針對的是當前時髦的學院派理論，他提出的問題值得我們深思。當學院派陷入男女之間的互相衝突以及各個階級、種族、宗教之間的戰爭時，文學早已失去往日的榮光，失去了幻想的烏托邦。正如弗羅姆所說的，「伍爾芙和佩特、尼采一樣，都是天啓式的美學主義者，人的存在和整個世界在他們的眼裏到頭來都只能歸結爲美學現象」，而我們這個時代在談論文學時最忽視的恰恰是小說詩歌中的「美學維度」。弗羅姆甚至引用哈慈里特於一八一四年所說的——「藝術本來就是不會進化的」——來暗示當今的學院派的理論未必就是「進步的」。

我雖然不完全贊同弗羅姆的閱讀——因爲我還是認爲伍爾芙在《奧蘭多》中想要探討的實際上是女性寫作的問題，但是我非常同意他對當前學院派的批評。無論奧蘭多是否象徵着女性寫作在歷史長河中被壓抑的經歷，伍爾芙對文學具有宗教式的情感已在這一浪漫的人物身上得到最好的體現。詩是奧蘭多的生命，奧蘭多本身就是詩的化身。當奧蘭多與航海家結婚後，她自問道：「倘若世上她最渴望的依然是寫詩，這算是婚姻嗎？」在伍爾芙的筆下，奧蘭多從男性轉換成女人後，其生活中最光彩絢麗的部分，不是她的令人眼花撩亂的服裝，不是那些華麗的宴會，也不是她和航海家之間浪漫的愛情，而是她對寫作的熱愛與執着，是她的創造力，是她對文學的擁抱與感悟。當我想到這一點時，我不能不佩服弗羅姆對我們現時的「時代精神」的反抗了。就像弗羅姆所強調的，文學藝術不一定是進化的，奧蘭多所追求的文學的永恆性與進步的「時代精神」絕對是格格不入的。當女性奧蘭多在三百年後重遇詩人格林時，其印象是：「他變得光鮮整潔，文學顯然已經成爲一項有利可圖的事業，但他過去那種躁動和鮮活的生命力已經喪失。」於是，奧蘭多的失望無以名狀。「所有這些年，文學在她心中，狂野如風，熾烈如火，迅捷如閃電；它飄忽流走、難以預料、突如奇來。可現在，瞧，文學成了身着禮服、公爵夫人不離口的老紳士。」伍爾芙顯然不屑於追趕「時代精神」，雖然她自己就是一位時代的弄潮兒——在她的心目中，文學彷佛如奧蘭多的永生，無論是男性還是女性，都永遠不會死亡。奧蘭多寫了四個世紀的《大橡樹》就象徵着眞正的詩和詩的美學。借格林之口，伍爾芙讚揚《大橡樹》沒有受到所謂「時代精神」的污染，「詩中充滿了對眞理、自然和人性的關注，在目下這一無恥、怪僻的時代，這一點確實難能可貴。」這就是伍爾芙引領我們憧憬的文學烏托邦，也許這一夢想越來越不合時宜，但在我們迷失了文學夢想的時代裏卻更富有啓發性。

四

著名女導演薩麗．波特（Sally Potter）於一九九二年拍攝了由伍爾芙小說改編的電影《奧蘭多》。薩麗．波特在西方影壇一直都是以拍女性主義電影著稱，她的處女作《恐怖電影》至今仍是女性主義電影理論常常引用的文本。在電影《奧蘭多》中，扮演奧蘭多的狄達．史威敦（Tilda Swinton）是位女演員，有的影評家稱她的臉是典型的雌雄同體的再現，可是我覺得她的女性味很強，扮演少年奧蘭多時顯得很女氣，不過也許這正是導演所追求的效果。電影所傳達的女性主義信息很濃厚，尤其在奧蘭多變爲女性後，各個歷史時期女性的服飾被渲染得又好看、又誇張，奧蘭多穿着大大的裙襬在自己的豪宅裏磕磕碰碰，很有諷刺的意味。如同伍爾芙所寫的：「衣服能改變我們對世界的看法，也改變世界對我們的看法……有很多事實可以支持這一觀點，即不是我們穿衣服，而是衣服穿我們；我們可以把它們縫製成手臂或胸脯的形狀，而它們則根據自己的喜好塑造我們的心、我們的腦、我們的語言。」女人生活在衣服裏，衣服是男性世界監禁她們的城牆——這一點被導演發揮得淋漓盡致。

但是，這部電影最不盡人意的地方是關於女性寫作的表現。比如在小說裏，奧蘭多是少年男子時就已經開始寫作，但還未找到自己的語言，這意味着男性奧蘭多被固定在一個具體的時代，被時代精神所塑造。當他變成她後，則一下子橫跨了幾個世紀，不受任何時代精神的局限，這似乎暗示「唯有女性方才具備的創造力的某種復甦」（伍爾芙語）。女性奧蘭多寫作時總是很隱秘，受到打擾時總是把手稿藏起來——就像歷史上寫作的女性們，不能公開；女性奧蘭多所寫的作品，經常被現代的傳記作者們放在「某爵士」名下——就像歷史上許多女作家或被埋沒，或只能用男性的名字發表作品；最有意思的是，女性奧蘭多最後在寫作中找到了眞實的自我，就如伍爾芙一樣，成爲後輩無法超越的最有成就的女性小說家。所有這些細節在電影中都沒有表現出來，這大概跟導演只重視性別轉換，不重視伍爾芙的美學精神有關。看來導演所犯的病跟弗羅姆批評的學院派常犯的「時代病」一樣，眼裏只有性別政治，只有政治理論，卻沒有對文學本質的思索。我想，這大概也是伍爾芙的過人之處，也許她早就預見到二十世紀末視覺語言大有取代文字創作的趨勢，於是充分發揮視覺語言所無法觸及的對人生與文學充滿哲理的思考，從而守住了語言寫作獨特的園地。

五

《奧蘭多》出版的第一年就賣出八千冊，使伍爾芙夫婦擺脫拮据的生活，蓋了洋房，買了小車。這本書被一版再版，現又被搬上屏幕，走入更多人的視野。它在商業上的成功卻令我想起女性奧蘭多的一段心裏獨白：

> 難道寫詩不是一種秘密的交流，即一個聲音對另一個聲音的回應？
>
> ……她想，所有這些年，對樹林古老的低吟，對農莊和門邊交頸而立的棗紅馬，對鐵馬鋪、廚房、辛辛苦苦孕育出麥子、蕪菁和青草的田野，對鳶尾和貝母怒放的花園，她做出了踟躕的回應，還有什麼能比這些回應更神秘、更舒緩、更似戀人之間的交媾呢？

不錯，把文學當作自己宗教的伍爾芙一定會想：這麼多的讚美和名望與詩有何相干？商業上的成功與古老的大橡樹有何相干？還有什麼快樂能跟寫作時的快樂相比？還有什麼比一個聲音對另一個聲音的訴說與回應更重要？如果不能寫作，那唯有死。於是，生對於她是一種狂歡，死對於她更是一種狂歡。她的艦隊在高高的浪濤上航行，她的心靈在字裏行間中迴盪，她的靈魂棲息在大橡樹下——在那裏，她用嘲弄的眼光看着我們的時代。

海德格爾所崇尚的德國大詩人荷爾德林早已提出人類應當「詩意棲居在大地上」的命題，那麼，伍爾芙和她創造的奧蘭多是否已經做了某種回答，她所嘲弄與所追求的，她所蔑視與所投身狂歡的，是如此不同，那麼，「詩意棲居」該作何種選擇呢？詩意綿綿的作家已走進碧水世界之中，而我們還活着，活在你爭我奪的世界裏。幸而我們還有關於奧蘭多的思念與思索。

寫於二〇〇三年十一月

凱特·蕭邦：「壞女人」的百年震撼

在今天的美國校園裏，十九世紀末的美國女作家凱特·蕭邦（Kate Chopin）的作品已成了經典，她著名的小說《覺醒》總是被列爲女性主義研究課的必讀書目之一。大多數女性喜愛《覺醒》，而多數男性則不能接受。當這本小說在一八九九年最初出版時，凱特還是位孤獨的拓荒者，《覺醒》受到了許多批評家與讀者的非議，人們對這本小說所傳達的大膽的女性主義的信息不以爲然，有人甚至指責凱特「對有禮貌的社會犯下了十足的罪行」。當時《覺醒》只出了一版，一九〇四年就絕版了，從此被埋沒在歷史的塵埃裏。直到一九六九年，美國正趕上婦女解放運動，一位名叫Per Seyersted的挪威學者重新出版了凱特的全部作品，才使得《覺醒》重見天日，之後這本小說被普遍認爲是美國文學史上的偉大小說之一。

當我與馬里蘭大學的一些男性教授談起《覺醒》時，他們都承認這是一本好小說，但卻不希望自己的太太讀到這本小說。如果連後現代社會的男性在談到《覺醒》時都有所顧忌的話，那麼，我們就不難想像凱特在十九世紀末的人文社會裏引起了多大的震撼。這本小說也曾經給過我很大的刺激，它不僅讓我了解到美國南部特殊的文化色彩，而且讓我對美國女性主義運動的歷史有了更深刻的領悟。

一

凱特的《覺醒》是一部關於家庭婦女命運的長篇。它描寫的是一位上層社會的家庭婦女通過一次婚外戀而自我覺醒的故事，大膽地涉及到女性性慾的問題，並大膽地挑戰了社會所規定的妻子與母親的角色，也挑戰了社會對所謂「壞女人」的定義。

小說中的主人公愛德妮．龐特里爾（Edna Pontellier）是一位二十八歲的少婦，出生於肯德基州。她嫁給了新奧爾良州的一位四十歲的富裕商人，生育了兩個兒子。在世俗的眼中，她的生活平靜、溫馨而富足，十分幸福。她自己好像也很滿足，直到有一年夏天在一個迷人的夏日別墅裏，她的生活突然泛起了陣陣波瀾，內心深處似乎有個神秘的聲音喚醒了她。

夏日別墅位於「華麗小島」中，愛德妮一家和朋友們在暑期間都喜歡全家搬到島上去度假。丈夫周末來到小島上與妻子孩子們聚會，周日則回去城裏工作。別墅主人的年輕兒子羅伯特，喜歡對留在小島上的妻子們獻慇懃。南部的克里奧耳人（常指生於拉丁美洲的歐洲人後裔）的文化中，丈夫一般都不忌妒這些喜歡向自己妻子獻慇懃的年輕男人，反而引以爲榮，而這些年輕男人也不會越過傳統的界限，很有分寸。可是，愛德妮畢竟不屬於南部文化，在與羅伯特的朝夕相處中，她漸漸感受到身體中的力量與性慾。羅伯特教會她游泳，開始她很懼怕海，後來她敢於獨自游出很遠後，「被一陣狂喜所淹沒，好像她突然獲得了某種強大的力量，這種力量使得她能夠控制自己的身體和靈魂。」作者凱特在小說中借用了許多大海的意象來暗示愛德妮內心巨大的變化，她寫道：

總之，愛德妮開始意識到她在宇宙中作為人類一分子的位置，認識到她作為一個個體與世界的關係……大海的聲音充滿了誘惑；從未停息，向靈魂耳語、喧嚷、嘟噥、邀請，使靈魂在孤獨的深淵裏被它的咒語所迷惑，迷失在內心沉思的迷宮。大海的聲音對着靈魂說話。海的觸摸充滿了感性，把身體包裹在柔軟而緊緊的擁抱中。

原本愛德妮嫁給她南部天主教徒的丈夫只是爲了逃避家庭，離開父親，從此關閉夢想的大門，以過平靜的婚姻生活，可是現在她卻發現這已經不可能了。除了年輕體貼的羅伯特，島上一起度假的兩位女性也從不同角度影響着愛德妮去感悟女性自身的價值。一位是她的好朋友阿得麗——典型的媽媽型女人，對傳統的母親和妻子角色感到非常知足；而另一位是性格孤僻的女鋼琴家蕾絲。作爲一位好母親與好妻子，阿得麗的存在與愛德妮的覺醒形成了一個很好的對話，令讀者去思考女性在家庭中的位置和角色等問題，思考什麼是「好女人」與「壞女人」的問題。極富個性的女鋼琴家蕾絲則與南部的克里奧耳文化和上層社會的生活格格不入，其獨具個性與魅力的鋼琴演奏就像大海一樣敲擊着愛德妮的靈魂，令她顫慄，令她情不自禁地熱淚盈眶。

當羅伯特意識到自己愛上了愛德妮後，他變得非常緊張。爲了逃避這段感情糾紛，爲了不違反文化禁忌，他匆匆忙忙地離開了「華麗小島」，去墨西哥尋求發展。他的離去令愛德妮非常失望。暑期度假結束後，愛德妮和孩子們回到了城裏丈夫的家裏，可是她卻一再拒絕履行母親與妻子的義務。無論丈夫怎樣抱怨，她都不肯參加社區活動或去教堂，荒於家務，不去管理僕人，也沒花時間照看孩子，跟丈夫只是在早飯桌上見面。相反的，她開始聆聽自己內心的聲音，花費很多時間獨自到城裏去散步，還去拜訪自己的女友，並重新拾起她早期的繪畫才能，大量作畫。女鋼琴家蕾絲既鼓勵她，又提醒她可能缺乏藝術家的靈魂，因爲藝術家具有超人的勇氣，敢於反抗社會。後來愛德妮拒絕去參加她妹妹在紐約的婚禮，也拒絕和丈夫去紐約處理生意上的事務，她的丈夫只好自己去了。這期間，她把孩子們送到鄉下的婆婆家，享受獨處的日子。

她的繪畫逐漸有了一些收入，又繼承了母親的一小筆遺產，加上從賽馬會贏來的錢，她決定搬出丈夫的大房子，自己在街邊租了一個小房子，有了自己的空間。與此同時，她與賽馬會上認識的男子姚西發生了性關係，享受到了與丈夫未能享受到的性快樂，然而，她自己卻非常明白那不是愛情。不久她日夜思念的羅伯特回到了城裏，終於對愛德妮坦白了他的愛情，但認爲她是屬於她的丈夫的。愛德妮則告訴他，她只屬於她自己。正當兩人傾訴愛情的時候，她的女友阿得麗遇到難產，讓僕人請愛德妮去幫忙。她毅然前去，要求羅伯特在家中等她，女友生產時的痛苦讓她回想到自己生產時的情景。可當她回到家中，羅伯特已經離去，留下一個小紙條，上面寫着：「再見，因爲我愛你。」絕望之餘，愛德妮一夜未眠。第二天，她獨自回到「希望之島」，赤裸裸地撲向大海，最後消逝在大海中。覺醒後的愛德妮發現她在社會中並沒有生存之地，於是選擇了自我毀滅之路。

二

作者凱特出生於一八五〇年美國南部的聖路易斯城。由於父親在她五歲時就去世了，她從小由媽媽、外婆、曾外婆扶養大。父親的缺席使得她在成長過程中只有女性的影響，也使得她能夠與傳統男性社會的條條框框保持一定的距離。母親一直提供給她良好的教育，送她去女子教會學校讀書。在動亂的南北戰爭中，她受到母親很好的保護。

凱特著名的小說《覺醒》被列為女性主義研究課的必讀書

凱特二十歲時，嫁給了南部的克里奧耳人奧斯卡・蕭邦（Oscar Chopin），於是跟隨丈夫遷往新奧耳良州的路易思安那。奧斯卡是做棉花買賣的生意人，兩人感情融洽，共同生育了六個孩子。婚後的第十二年，奧斯卡突然因病去世，凱特不得不挑起了照顧生意及照顧孩子的重擔。一八八四年，她回到母親家中，但母親也很快就離世了。家中親人因疾病與死亡突然消失在她的生活中，使得凱特不得不面對尋找自我在社會中的角色和位置的問題，而這種不斷的自我尋找後來也成爲她寫作中的重要主題之一。

也許正是因爲自我尋找與自我認同的需求，凱特於一九八九年開始認眞地寫作。她的第一本小說集《不知所措》（*At Fault*，1890）和第二本小說集《牛軛湖人》（*Bayou Folk*，1894）受到了美國文學評論界的好評。在這兩本小說集中，凱特非常關注南部婦女的生活問題，不過除了一篇涉及家庭女性被丈夫虐待的短篇小說比較尖銳外，其他幾篇短篇小說都顯得比較平淡。在凱特早期的寫作生涯中，她雖然了解新崛起的「新女性」和一些女權主義運動，可她並未正面歌頌或認同「新女性」，反而帶着一種懷疑的態度觀望着。不過，她在後來的寫作中，越來越大膽地剖析女性的感情經驗。一八九四年四月，她發表了一篇題爲《一個小時的故事》的短篇小說，講的是一個妻子在得知丈夫在火車事故中去世後，開始很悲痛，但不久就意識到她再也不需要爲別人活着，從此可以照着自己的願望生活下去了，於是，她感到了一種空前的喜悅，一種重新獲得自由的喜悅。然而，正在此時，丈夫推開房門走了進來，原來他並沒有受傷，而妻子看到丈夫後，卻因心臟病突然發作而死亡了，據醫生診斷，「她死於快樂。」這篇小說傳達出了家庭婦女渴望自由的聲音，這在當時的歷史語境中還是很罕見的。讀者很容易聯想到凱特自己與她母親的親身經歷，也許在她們的丈夫去世後，她們不得不獨立，但在獨立中體會到了其他家庭婦女所無法體會到的自由的快樂。

凱特的寫作不同於當時歐美流行的多愁善感的浪漫主義小說。她的寫作比較貼近現實主義，在點滴的日常生活描寫中表現出家庭婦女的喜怒哀樂和她們的生存環境。一八九九年《覺醒》的發表標誌着凱特眞正找到了自己女性寫作的聲音，可是她卻因爲這本書而幾乎結束了文學生涯。小說中的女主角愛德妮從一個妻子和媽媽的角色中覺醒，找到了充滿活力與個性的自我，也找到了藝術家的自我。她不再屬於丈夫，也不再屬於孩子；她不再是任何人的財產和附屬品，而是只屬於自己；她有自己的感情與性慾，能聽到自己靈魂的聲音。用女主人公的話來說，「我可以放棄非本質的一切，我可以付出錢，我可以爲我的孩子付出生命；但是我不能付出我自己。」換句話說，她不滿足於只是做個好女兒、好妻子和好母親，因爲這些角色都是男性中心社會爲女性所制定的。相反的，她追求一種有主體聲音的女人性。這種女人的好與壞不是由父親、丈夫和孩子所決定的，而是由自己的靈魂所控制的，由自己生命的本質所決定的。

然而，當時的讀者群和批評家還無法接受這麼超前的思想，就連喜歡凱特以前作品的女批評家法蘭西斯（Francis Porcher）都無法接受《覺醒》，認爲「這篇小說使人對人類的本性感到厭惡」，並強調作者有責任避免描寫「道德敗壞」的人物性格和「私通」場面。大多數批評家則用「不健康」、「病態的」、「有毒的」、「令人不愉快的」等字眼來評論這篇小說，對凱特觸犯道德與宗教的條例規範大爲不滿。《芝加哥時報》甚至把這本小說歸類到「性小說」的領域中，以此來詆譭此書的眞正價値。雖然凱特以嘲弄的眼光來看待這些評論，雖然她仍然努力地保住自己長期主持的文學沙龍，可是她的寫作還是受到了很大的打擊。在《覺醒》之後，她再未寫出更傑出的作品，並於一九〇四年死於腦出血。

三

雖然我們不能肯定凱特是否讀過易卜生的《玩偶之家》（1879年），可是《覺醒》所探討的也是女性意味着什麼的問題。就像娜拉一樣，愛德妮最開始也是丈夫的財產之一，後來毅然走出家庭，尋找個人自由。但是，凱特畢竟是一個女作家，她把母性與女性的矛盾刻劃得非常好。

小說一開頭就寫丈夫看愛德妮的眼光，他看着她「如同看一件有價值的財產」。後來，丈夫埋怨她「習慣性地忽視孩子」，而自己卻不是常常在外頭做生意，就是出去與朋友玩台球遊戲。「家」這個空間就像是一個鳥籠，愛德妮是監禁在籠中的金絲鳥，永遠只是爲了丈夫和孩子活着。然而，很早以前，她就本能地意識到自己的雙重生命，「外在的存在方式是努力地適應着，而內在的生命卻叩問着」，這使她不同於媽媽型的女友阿得麗。在愛德妮眼中，阿得麗很完美，像一個女神，把自己的身體與靈魂全部都無私地給予了孩子，代表了世上所有偉大的母愛，但是愛德妮卻認爲阿得麗「無色彩的生存方式」永遠都無法把她從「盲目的滿足裏提升出來」。

愛德妮離開他們【阿得麗一家】後沒有感到撫慰，反而感到憂鬱。她所看到的和諧家庭的小小一幕，使她既不感到遺憾，也不嚮往。這並不適合她的生命條件，她唯有感到一種令人震驚的無望的厭倦。

愛德妮是一位「現代型」的女英雄，因爲她從未停止過對自我的追尋與認識。她逐漸離開丈夫提供的舒適的上層社會的生活，越來越深入地走進內在的自我；而走進內在的自我後，她發現「街道、孩子、水果攤、花……這些異化世界的一部分，都突然變成了敵對的一面。」其實愛德妮也愛孩子，她喜歡聽到他們天眞無邪的聲音，喜歡他們天使般的擁抱，喜歡感受他們年輕的生命存在，但是，當「孩子們就像敵對者一樣征服着她，試圖在她餘下的日子裏把她拖累成靈魂的奴隸」的時候，她本能地反抗，有意識地保護自我。

凱特之前的女作家們，還從未把孩子的問題與女性解放的問題放在一起來討論，因爲偉大的母性一直被認爲是女人的天性，是神聖不可侵犯的。新女性掙脫出父權男權的束縛在易卜生的戲劇中早就有所表現了，但是，易卜生卻沒有深入地討論女性解放中最敏感的問題，那就是母愛與女權衝突的問題。在小說結尾，愛德妮又一次目睹了女友阿得麗忍受生產時的痛苦，離去前，阿得麗叮囑她要「想着孩子們」。孩子們的權利與愛德妮追求自己道路的權利嚴重地衝突着，情人羅伯特的離去似乎喚醒了她的母性，最後她再也沒有退路，只有投向大海的懷抱。投向大海前，她一絲不掛，「像個剛剛降生的嬰兒，睜開眼睛看着熟悉的世界裏她以往未知的一切」，把自己埋沒在沒有任何條條框框的大海裏。她是一個現代的悲劇女英雄，全身心地投入在自己的慾望、自己的力量和自己的毀滅中，她的悲劇是一個女性的悲劇，也是一個母親的悲劇。

當代的美國女性讀者喜歡《覺醒》，因爲她們發現凱特這位「古典的」美國女作家所表達的是當代女性所關心的問題。無論現代工業社會如何發達，女性如何解放，母愛與女權衝突的問題始終是一個恆久的問題，永遠無法全面解決。當代的許多批評家把注意力放在婚外戀的問題上，認爲凱特大膽地涉及了「紅杏出牆」的性愛題材，把女性的性慾作爲一個主體而非客體表現出來，我雖然同意這些觀點，但是我卻認爲這並非是小說最關鍵的所在。小說中的愛德妮其實不是任何人的附庸，丈夫無法阻止她的內在轉化，跟她發生性關係的姚西無法進入她的內心世界，就連她摯愛的羅伯特也無法眞正了解她，可以說，她是一個孤獨的存在體，她自己選擇了這種生存方式，但不幸的是，這種生存方式與女性最本質的母性不能融合，不能共存，這大概是女性「覺醒」之後，找到自我之後最無奈也最具悲劇性的地方。

另外値得注意的就是女性寫作的問題。凱特在小說中有意識地尋找女性的寫作語言，在男性的寫作世界裏尋找一種屬於女性的獨特的語言。當她寫到愛德妮的性慾、寫到她覺醒後一步步內化的過程時，她借助大海的語言，借助女友間的私語，借助童話世界的語言，借助音樂和繪畫等獨特的語言來表達細膩的女性感情經驗。愛德妮在覺醒以後，常常覺得很難找到合適的辭彙來傳達自己的感受，因爲現有的辭彙都是男性的語言，只有衝出「語言的牢房」才能傳達出她的一點心聲。於是，「正是在那些未劃入地圖的空間裏，在字裏行間中，在無法言傳的慾望領域裏，愛德妮開始找到了居住的地方。」大海讓她莫名地感動，音樂直接穿透了她的靈魂，繪畫成了她的謀生手段之一——這些「家」之外的空間、語言和職業帶給她希望，帶給她嶄新的世界，當然也帶給她覺醒後的痛苦。凱特在小說裏寫到了男性語言與女性語言的衝突，寫到衝突之後愛德妮感到自己在說「一種無人能聽得懂的語言」，最後也寫到愛德妮希望自己能夠找到一種言語，這種言語「能夠表達出她所說不出的，但並非是她說不出的需求」。所以，「覺醒」不僅是女性性慾的覺醒，更重要的是尋求女性語言的慾望的覺醒。正是後一種覺醒使得凱特遠遠地超越了她自己的時代。

（原載於《萬象》二〇〇三年八月）

阿特米西亞：擁有凱薩般靈魂的女畫家

最近從圖書館借來了一盒電影錄像帶，是法國導演安格尼斯．莫雷特（Agnes Merlet）的作品《阿特米西亞》（*Atermisia*, 1998）。雖然我對西方美術史的了解很有限，但是這位大名鼎鼎的女畫家卻早就吸引了我的注意力。

阿特米西亞是十七世紀歐洲著名的「女神童」畫家。她不僅是首位正式進入只有男性大師的美術設計學院的才女，享有以往歐洲女畫家從未享有過的最高榮譽，而且是首位以「強姦案」受害者的身份訴諸法庭的神奇女性。她集才華、榮譽、恥辱於一身，充滿了傳奇色彩；然而，專門研究她的評論家馬麗．格拉德（Mary D. Garrard）卻認爲，阿特米西亞的藝術才能與貢獻在學術界沒有受到充分肯定，美術史的研究者們大大忽視了這位女天才。

把阿特米西亞的故事搬上熒幕，自然會非常賣座，就像現在商業炒作「美女作家」一樣，「女性作家」、「女性畫家」這類標籤本身就是一種商品符號。但是，當我看完這部電影後，卻非常失望。這部電影雖然肯定了女神童的繪畫天才，卻把她性愛中的坎坷經歷包裹上了一層浪漫廉價的色彩，使許多尖銳的問題簡單化了。這不僅僅反映了虛構與眞實的衝突，而且暴露了歷史重寫中未能把握女性角色的精神內涵等問題。

一

阿特米西亞生來就具有得天獨厚的條件：上蒼不但賜予她卓越的繪畫天才，還賜予她一位知名的畫家父親。在女人還不能進入著名藝術家畫室的時代，阿特米西

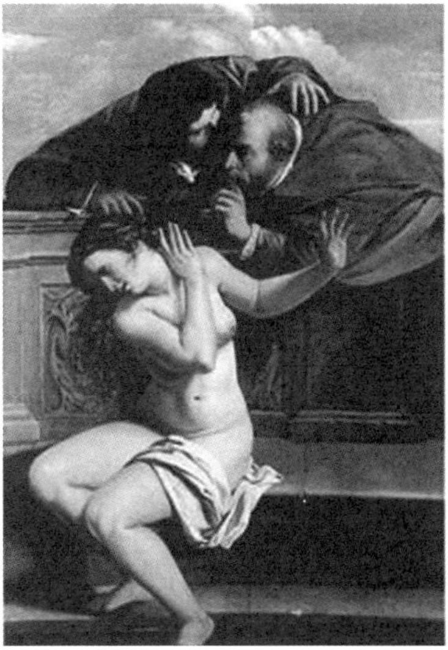

《蘇桑那與長者》使阿特米西亞名滿天下

亞的父親歐瑞子（Orazio Gentileschi）就自己培訓出神童女兒。後又介紹她拜識了許多羅馬的大師級畫家，其中卡洛瓦芝羅（Michelangelo Merisi da Caravaggio）的明暗對照法對她後來的畫風影響最大。雖然從未進過學校，直到成年後才學會讀書和寫字，但這些都不妨礙她在繪畫界成長爲一顆光彩奪目的新星。才十七歲，就創造了一幅使她名滿天下的作品——《蘇桑那與長者》（*Susanna and the Elders*, 1610）。這幅畫所顯示的成熟功力令人震驚，即使畫上清晰地刻有阿特米西亞的簽名，後人仍難以相信這幅畫出自一個未成年的少女之手，所以常常把它歸入其父親名下。直到一九七七年，美國各大城市聯合舉辦了一個「女性藝術家，1550-1950」的畫展，其中有阿特米西亞的六幅畫，美術研究者經過仔細推敲與考證，才一致認爲此畫確實是她早期的傑作。

與她父親一起工作的藝術家，有一位來自佛羅倫薩的畫家泰斯（Agostimo

Tassi），此人行爲放蕩，情場中翻雲覆雨，處處留下劣迹，曾因和嫂嫂私通而坐過監獄，後又被控告謀殺妻子，因證據不足，未受到任何懲罰。也許阿特米西亞父女對泰斯了解不深，沒有任何防患，使得當時才十九歲的女神童遭到泰斯的誘姦，失去了處女的貞操。一六一二年，阿特米西亞的父親憤而上告法庭，才引起轟動。這一「強姦案」前後持續了七個月之久，案件的有關資料至今仍保存良好。據阿特米西亞所言，泰斯在家庭朋友的幫助下，屢次圖謀與她獨處，最終在她臥室裏強暴了她。雖然她以一匕首拚命抵抗，卻未成功。後來泰斯又甜言蜜語，發誓要娶她，騙得了她的信任，於是一次次潛入閨房，屢屢採花，卻從不兌現他的誓言。由於失貞在十七世紀的意大利對少女是毀滅性的道德災難，唯一的補救方式就是結婚，所以阿特米西亞失貞後仍勉強與泰斯保持性關係，在庭錄中她解釋道：「我之所以這樣做，是因爲泰斯已經使我失去了名譽，他會娶我。」

現在西方雖然有保護婦女的「性騷擾罪」，可告上法庭的女受害者往往受到公衆輿論的傷害。不難想像，在當時貞操等同於生命與尊嚴的時代，少女阿特米西亞要承受多大的心理壓力。法庭上，她反被控爲蕩婦，被誣告與泰斯交往前早已失去貞操，而且有過無數情人。法庭甚至命令接生婆驗證：她是近期失貞，還是很久以前就已經不是處女？爲了取得眞實證詞，法庭竟然給阿特米西亞用了刑，類似於中國古代的「拇指夾」。這一酷刑，差一點就扼殺了女神童的藝術生命。在長達七個月的審問中，阿特米西亞不得不反覆描述被強姦的過程與細節，這種心理折磨更甚於酷刑。

自始至終，泰斯拒不認罪，否認他與阿特米西亞曾發生過任何性關係。先是指責她父親歐瑞子是奪去女兒貞操的罪魁禍首，接着還帶了許多證人到法庭上作證是她的情人，目的是把她的名聲搞臭，證實她是一個「不知饜足的妓女」。雖然阿特米西亞尚不識字，可這些人都聲稱她寫過情書給他們。更有甚者，泰斯還指責她的畫技拙劣，他非但沒有強姦少女，反而把自己的絕技「透視圖法」傾囊相授。最後，由於泰斯的一位故友出庭作證，揭示他在強暴阿特米西亞後，曾在友人面前大肆吹噓與炫耀，法庭才做出最後判決，監禁泰斯。但八個月後，他就被釋放了。

在訴訟期間，阿特米西亞完成了一幅「朱蒂斯斬賀棼尼」（*Judith Slaying Hofernes*, 1612-1613）的名畫，通過膾炙人口的題材，表現了她出衆的畫技和女性主義意識。庭訴結束後，她嫁給了一位佛羅倫薩的藝術家，離開了羅馬這一是非之地，定居於佛羅倫薩。後在逆境中崛起，開始了獨立而輝煌的藝術生涯。一六一六年，她成了歐洲首位大師級的女畫家，正式列入清一色男性的美術設計學院，打破了幾百年來歐洲畫界只有男性「大師」的單一神話。後來，她先後受到數位歐洲王公貴族的贊助，創作了許多留芳百世的傑作，可惜保存下來的只有寥寥數幅。晚年她被英國國王查理一世邀請，爲王后在格林威治宮殿的天花板畫壁畫。生前，阿特米西亞被畫界同行譽爲「出色智慧的羅馬女畫家」。

二

阿特米西亞一生畫過許多聖經故事和神話故事，這些故事的主題常常涉及性與暴力，女性與男性，眞實與謊言，這可能與她早年作爲性受害者的經歷有關。巴洛克時期的畫家偏愛復興古典神話的繪畫方式，在戲劇性和令人激動不已的故事中表現寓言式的思想。古典寓意畫和寓言畫，倘若不注意表現人物的栩栩如生，極其容易降低成圖解思想觀念的一種枯燥手段。聰明絕頂的阿特米西亞，通過重畫一些大師們常畫的經典故事，巧妙地滲入了自己獨特的闡釋語言和繪畫風格，成了這一畫派中的佼佼者。

她十七歲的作品「蘇桑那和長者」就是典型的畫界中的「故事新編」。這幅畫取材於《聖經》裏的一段故事。蘇桑那是一位猶太富商的美麗妻子，有一天在自家的花園中獨自沐浴時，被猶太社區的兩個長老窺視。這兩個長老早就垂涎於她的美色，現乘無人時，試圖逼她就範，倘若不從，將告她犯有「通姦罪」。不料蘇桑那不受長老的脅迫，大聲呼叫，而兩位長老也賊喊捉賊，妄稱捉住她與情人通姦。告上法庭後，衆人居然相信長老所言，紛紛非難她。蘇桑那申訴無門，只好乞求上帝的幫助，於是智者丹尼爾出現了。他分別審問兩位長老，問蘇桑那與情人是在那棵樹下通姦的，一答乳香樹，一答橡樹，謊言不攻自破，長老受到懲罰。這個聖經故事要傳達的信息很簡單：只要自身清白，上帝會給你一個公正的判決的。

有趣的是，在阿特米西亞之前已有許多男性大師畫過這一主題。比較著名的有十六世紀的畫家安尼貝（Annibale Carracci）和廷特熱托（Tintorentoo）。所有人都選擇兩個長老窺視及誘引蘇桑那的瞬間作畫，藉此機會表現女性誘人的裸體。然而，他們在無意識中認同了長者的角色，把女性僅僅表現爲一個被看的客體，一個被男性目光固定了的客體。極力突出女性身體的妖嬈與色情，以便激起觀賞者的情慾。阿特米西亞也選擇這一瞬間作畫，但不同凡響的是，她給予了蘇桑那鮮明的個性，並且準確地表現了她複雜的內心世界。在阿特米西亞的畫中，蘇桑那不再是一個沒有個性的被人窺視的身體，她的上身難過地扭曲着，臉上帶着驚恐而痛苦的表情，雙手似乎要推開強加於她的壓力，而那壓力來自於在耳邊竊竊私語、試圖引誘她的長者。阿特米西亞不加掩飾地表現出蘇桑那被長者「性騷擾」並且堅決地說「不」的情景，在這一傳統題材上刻上了女性的獨特聲音。

泰斯「強姦案」發生之後，阿特米西亞完成了另一幅畫——「朱蒂斯斬賀棼尼」。許多專家認爲，這幅畫反映了她被傷害後憤怒的心情。朱蒂斯是聖經故事中的猶太女英雄，這一形象在早期的文藝復興和巴洛克時期被畫家一再表現。這位住在北修里（Bethulia）小城的富有而美麗的青年寡婦，在亞速人的軍隊包圍了小城並準備摧毀它時，勇敢地挺身而出，想出了一個拯救家園的計劃。她把自己裝扮得美艷如花，與女僕阿部拉潛入敵營。不久敵軍的首領賀棼尼果然迷戀上了她，爲了誘惑她辦了一個盛大的宴席。宴後賀棼尼大醉，朱蒂斯抓起他的劍，毫不猶豫，斬了敵首。女僕把首級放入籃裏，主僕二人回到小城。敵軍突失將領後，陷入一片混亂，因而大敗。

這個衆人熟知的「美人計」在女神童的畫筆下卻獲得新的生命。阿特米西亞的父親也曾畫過這一題材，他選擇的是女英雄主僕二人在殺了敵軍將領後，緊張地傾聽外界動靜的時刻，似乎比較被動，畫中二人都是等待、靜聽的姿態。神童女兒則選擇了一個令人震撼的、充滿暴力而戲劇性的瞬間：在女僕的幫助下，朱蒂斯大無畏而果敢地斬下賀棼尼的頭。女英雄身着華裝，處於男人的斜上方，粗壯有力的胳膊，一手壓着頭，一手持劍弒之，女僕則在旁輔助。這一瞬間給觀者的感覺是驚心動魄的。

女神童的導師卡洛瓦芝羅（Michelangelo Merisi da Caravaggio）也曾選擇過這一瞬間作畫，但是他筆下的女英雄似乎顯得比較拘謹與呆板。相比之下，女神童筆下的女英雄則充滿魄力，果斷、勇敢、決絕。那血淋淋而恐怖的一刻，被阿特米西亞表現得極富現實感，極有力度，令人難以忘懷。被男性長久神話化了的「美人計」，在天才女子如火般灼燙的畫面裏，終於有了新的生命和語言。畫面傳達了女畫家內心對男權世界的反抗、控訴、搏鬥與憤怒，不再任人凌辱，不再妥協，不再顯示女性的孱弱，而是大勇大智地抗爭。斬男性首級的姿勢暗示了對男性的「閹割」，女性形象不再像蘇桑那一樣，只是痛苦地掙扎，而是如朱蒂斯般，主動而勇敢地出擊。阿特米西亞以寓言畫的方式，向法庭、向世人、向男性世界討回公道。

毫無疑問，這幅畫與阿特米西亞作爲被強姦者的身份有着緊密的聯繫。令我感動的是，她沒有被生活的磨難壓倒，沒有一蹶不振，反而毫不屈服，以自己的畫筆爲武器，畫出女性超人的勇敢精神。後來，在給友人的信裏，她寫道：「你將在一個女人的靈魂裏發現凱薩的精神」。

三

看過電影《阿特米西亞》的觀衆，一定不會忘記女主角那清純、自信、聰慧明亮的眼睛，一定會被這雙眼睛所感染。電影一開篇就展現了這雙眼睛在藝術世界中漫遊的情景，它們的美麗在於才華橫溢。導演肯定了女神童畫家的天才，暗示阿特米西亞的才能已經超過了父親，並表現出那個時期女藝術家被認可的艱難，但卻無法正面表現「強姦案」中男女權力衝突的問題。

電影中，泰斯先是一個放蕩不羈的藝術家，後愛上了女主角。雖然開始是一個勉強的情人，但在阿特米西亞受「拇指刑」時，爲了保護心愛之人，

阿特米西亞被畫界同行譽為「出色智慧的羅馬女畫家」

毅然承擔下所有的罪責，不失騎士風度。他不僅是女主角的繪畫導師，而且儼然是她的性啓蒙者。女主角在電影中，從頭到尾都不承認被泰斯強姦過，反而堅決地告訴父親，泰斯給了她快樂。導演似乎想把阿特米西亞刻劃成一位獨立的女性，一位在男女性愛關係中獨立積極的女性，而不是一個性受害者，所以極力渲染愛情浪漫的一面，渲染藝術家男女之間特殊的藝術溝通與情感溝通。相形之下，影片裏父親對於女兒的愛護，顯得多餘與保守，不但沒有保護女兒，反而使女兒在大庭廣衆面前受到污辱，差點毀掉了女兒天才的雙手。

電影屬於虛構想像的世界，我們當然不能苛求導演做好歷史功課，百分百符合史實。然而這部電影在美國發行時，卻打着「一個眞實的故事」的字樣，大作廣告，使人不得不質疑故事的眞實性。如果仔細讀法庭的證詞，我們可以發現，歷史上的泰斯從未坦白認罪過，反而盡其所能，詆譭阿特米西亞的名譽；如果仔細讀西方美術史，我們也可以看到，泰斯在畫史上根本無法與阿特米西亞父女相提並論。他所謂的「透視圖法」對女神童畫家的風格沒有發生過任何影響。電影中提到的女畫家的自畫像和贊助人定做的人物肖像，都是阿特米西亞晚些時期的作品，導演顯然搞錯了。

然而，歷史知識是一回事，但如何表現女性做爲性受害者又是另一回事。電影令我失望的地方，正是它落入以前的俗套，把強姦案浪漫化、簡單化了。它想傳達的信息很明顯：愛情神聖無罪，法律是不能干涉的。和許多描寫這類題材的電影一樣，好像在男女兩性衝突中，女性大多願意被強姦，而且最後都不可避免地愛上強姦者。女主角對於失貞，沒有任何怨恨，只有初試雲雨後的驚奇、喜悅和暗暗的憧憬與期待。泰斯以往的劣迹也被含混地一筆帶過。於是，包裹在柔美的愛情裏，這個轟動一時的「強姦案」，不知不覺中被合法化了。而性受害者的痛苦經驗與心理折磨，則被巧妙地粉飾，或乾脆忽略不提了。

回頭去翻翻阿特米西亞的畫，我仍然能感受到她作爲性受害者的內心痛苦。這個早年的惡夢，被傷害後難以癒合的傷痛，揮之不去，時時展現在她充滿力度的畫面裏。當她反覆闡釋有關男女性衝突、暴力與血腥的經典故事時，那種女性靈魂巾的凱薩精神，那種女性獨有的敏銳，從一個個戲劇性的氛圍中，脫穎而出，透着才氣，更透着力量與勇氣。可惜，這些深度力度在爛漫的愛情電影中，全都蕩然無存。

（原載於《萬象》二〇〇二年十月）

費麗達：自我畫像的極致

一

最近由於女性的身體寫作非常流行，暴露隱私、暴露身體成了一種時尚，不由得使我想起了墨西哥的一位著名女畫家費麗達（Frida Kahlo）的作品。從來沒有一位畫家像她那樣作畫，幾乎所有的畫都是自我肖像；也從沒有人像她那樣在自畫像裏通過美艷而性感的身體傳遞那麼多人生的痛苦與殘酷，以及內心那麼複雜的眞實情感。她把女性自畫像推到了極致：它們是一面鏡子，反射着女性個體的人生經歷；但更重要的是，它們不是刻意地暴露隱私，而是眞實地記錄着個人的情感歷史及女性的本質特徵，並擁有豐富的民族歷史、文化與政治的內涵。

西方藝術史總是把費麗達列入超現實主義畫派，大概因爲她畫裏那些奇怪的身體器官、植物和動物有些類似超現實主義畫派的畫面，超出了日常生活，超出了理性的範疇。然而，費麗達自己卻非常反對這種命名，她說：「我不是一個超現實主義者，我從不畫夢。我畫的是自己的現實。我唯一知道的是，我畫，因爲我需要畫，於是我總是畫那些浮現在腦子裏的東西，並沒有其他想法。」如果象徵符號對於西方超現實主義者來說，是離開現實、探索潛意識的一種手段，那麼，對於費麗達來說，則是回到現實、理解現實的方式之一；如果超現實大師達力（Dali）無法解釋自己作品的象徵意義，那麼費麗達能夠解釋，因爲她的自畫像就是她的自傳，牢固地根植在現實的土壤裏，逼眞而血淋淋地記錄着她的每一次痛苦。她曾說過：「我眞的不知道我的畫是不是超現實主義，但我知道它們是我自己最眞實的表現……我討厭超現實主義。對我來說它像是資本主義藝術頹廢的見證，偏離了人民大衆所希求的那種眞實藝術……我希望我的畫對我所歸屬的人民來說是有價值的，對支撐着我的理念來說是有價值的……我希望我的作品可以貢獻給爲了和平和自由而奮鬥的人們。」

我對費麗達感興趣，一是因爲她的畫非常特殊，二是因爲她的人生和作品包含了許多令人深思的問題。雖然她只是畫自己小小的私人空間，可是卻走向了全世界，贏得了全球的觀衆；雖然作爲一個馬克思主義的信奉者，她強烈反對資本主義，但是她卻被資本主義的藝術界大爲欣賞，並被其擁戴成其中的一員；雖然她認同墨西哥的本土文化，並以本土文化來反抗西方的文化霸權，可是這些本土文化最終還是被西方所消費；雖然她很重視畫女性的身體，但她畫中的身體不只是生理性的，而且是社會和文化的產物；雖然她的政治認同很鮮明，可是她的畫卻遠離政治，並沒有成爲政治宣傳的工具；雖然她是一個堅強獨立的女性，可是一生都極其依賴她的丈夫，喜怒哀樂似乎都圍着他轉。總之，這位神奇的女性充滿了矛盾性，並不是共產主義、女性主義這樣的標籤所能涵蓋得了的。也許正是因爲這種矛盾性，她最終超越了第一世界／第三世界、資本主義／共產主義、女性／男性等簡單的二元分法。

二

費麗達的生平故事已經被許多人重寫過，有關她的小說、戲劇、舞蹈、傳記文學和電影實在是數不勝數。今年十月，好萊塢又要推出一部以她生平故事改編的電影，片名爲*Frida*，由朱麗葉（Julie Taymor）導演，漂亮的女影星薩瑪（Salma Hayek）主演。影片出來後，這位傳奇性的女畫家隨着好萊塢的電影製作而走向全球，成爲好萊塢文化霸權的籌碼之一，這對已故的女畫家來說恐怕是一個極大的反諷，因爲她一生都在反對美國化，一生都堅守着墨西哥和印第安的本土文化。

費麗達生於一九〇七年，但是她卻把出生日期改爲爆發了墨西哥革命的一九一〇年，希望自己的生命與現代墨西哥同時誕生，希望自己是「革命的女兒」。她其實是個混血兒——父親是德國的猶太移民，母親是西班牙與印第安混種的墨西哥人。天生麗質的費麗達從小就是父親最疼愛的孩子，身爲攝影師兼畫家的父親認爲她是四個女兒中最有才能的一位。六歲那年，費麗達不幸染上了小兒痲痹症，右腿明顯地比左腿細，遺留下了永遠的生理缺陷。雖然在父親的鼓勵下，她拚命運動，但小夥伴們的嘲笑仍讓她感到難過。十八歲那年，她在一次車禍中受到重創，斷了兩根腰椎骨，骨盆破碎，左胳膊和左肩脫臼，右腿也摔壞了，最遭的是，當時有一根金屬棒穿透了她的身體，從左腹部進入，由生殖器穿出，連醫生都以爲她活不成了，可她卻奇迹般地存活下來。這次事故給她後來的一生帶來了許多後遺症，她一直都被不健全的身體所困擾，一共做過三十二次手術，但最讓她感到痛苦的是一輩子都不能生小孩。誰也沒有想到，身體固然給費麗達帶來了無盡的痛苦，但也給她帶來了無盡的藝術創作源泉，令她在反反覆覆的痛苦、掙扎、希冀、渴望和絕望中理解生命。

費麗達在車禍發生的兩年後加入了共產黨，並愛上了比她年長二十歲的墨西哥名畫家迪也哥（Diego Revera），當時他還是墨西哥共產黨的總書記。墨西哥革命前，獨裁者Porfirio Diaz和他周圍的文化菁英都崇尚歐化，革命後，墨西哥文化界開始了反對「歐化」的文化革命，重新尋找本土文化的根。迪也哥與另外兩位畫家因此發起了大型的墨西哥壁畫運動，把生活與藝術結合起來，在公共牆上不僅宣傳馬克思主義思想，而且對民衆重新教育墨西哥的歷史與文化。認識費麗達之前，迪也哥有過無數情人，並與現任妻子有兩個孩子。他可以說是其貌不揚，個子很高，肚子很大，並素有花花公子的名聲，儘管如此，費麗達還是瘋狂地愛上了他。當時只有二十歲的費麗達帶了一些畫去請教這位世界著名的壁畫家，對他毫不客氣地說：「我知道你是個花花公子，但我不是來跟你調情的，我只想請你看看我的作品。」沒想到，迪也哥非常肯定她的繪畫才能，並很快地娶了她。他們的愛情婚姻旅程充滿了戲劇性的跌盪起伏，後來成了費麗達自畫像中的重要主題之一。她曾對友人說：「我一生有過兩次嚴重的事故，一次是街車碾過我的身體，另一次事故就是迪也哥。」

一九二九年，迪也哥先是被美國大使請去做壁畫，後於一九三〇年至一九三三年先後被美國大亨福特（Henry Ford）、洛克菲勒（John D. Rockefeller）和摩根（J. P.Morgan）等請去三藩市、底特律、紐約做壁畫。墨西哥共產黨因爲迪也哥賣身給資本家作畫而將其清除出黨，但令人感到不解的是，這些「帝國主義資本家」會如此喜愛迪也哥的大型壁畫，並不在乎那些壁畫充滿了斧頭、鐮刀及工農兵大衆等形象。不過，最終洛克菲勒還是由於無法忍受迪也哥非要在壁畫上畫上列寧的肖像而中途解約。費麗達在美國的這段期間，流產了三次，丈夫忙於工作，無暇照顧她，於是她把精力投入繪畫中，從流產的痛苦中找到了自己繪畫的語言，創作了著名的《亨利伏特醫院》（一九三二年）、《我的誕生》（一九三二年）、《在墨西哥和美國邊界的自我畫像》（一九三二年）、《我的衣服掛在哪》（一九三三年）等作品，自此，她的畫作開始強調女人、身體、傷痛、恐怖與苦難。

費麗達與迪也哥的結合，使她從墨西哥走向了世界，也使她嘗遍了愛情的酸甜苦辣。自結婚後，爲了取悅作爲墨西哥尋根運動倡導者的丈夫，她一直堅持穿墨西哥本土的服裝，可謂「女爲悅己者容」。她深愛像熊一樣高大肥胖的丈夫，可是迪也哥卻總也改不了沾花惹草的毛病，外遇不斷，最後竟於一九三四年與費麗達的親妹妹有染。感情上受到極大傷害後，費麗達搬到外面去住，不久又飛到紐約躲避了一段時間，最後還是無法忘卻迪也哥，於是原諒了他和妹妹的婚外戀，回到了他的身邊。回來的時候，「多了一點愛情，少了一點驕傲。」這對夫妻似乎從此有了某種默契，迪也哥公開而自由地在外面處處留情，費麗達也不甘寂寞，開始秘密地與情人約會。她有過許多情人，甚至還有過一些女同性戀情人，不過據她的戀人——著名的匈牙利攝影師尼可拉斯（Nickolas Muray）回憶，費麗達最在意的仍然是她的丈夫。尼可拉斯在給她的信中寫道：「我總能感到我們三個人在一起時其實只有你們兩個人。」

恐怕最引人注目的一斷戀情還是費麗達和蘇聯流亡領導人托洛斯基（Leon Trotsky）的婚外情。一九三七年，托洛斯基和妻子接受墨西哥政府的政治庇護，住進了迪也哥和費麗達的家中。因爲托洛斯基的妻子不懂英文，費麗達與托洛斯基常常用英文調情，並在費麗達妹妹的家中幽會。這段戀情沒有持續多久就被托妻發現，托洛斯基顯然更重視與他共患難的妻子，很快就結束了與女畫家的婚外戀。後來，直到一九四〇年被暗殺前他們還都保持朋友關係，費麗達曾送過一幅自畫像給托。

一九三八年法國超現實主義大師貝雷頓（Andre Breton）去墨西哥訪問時，意外地發現費麗達的畫屬於他心目中的超現實主義的上乘之作，於是積極幫助她在巴黎籌辦畫展。不久，費麗達的第一個國際性的畫展在紐約順利舉行，美國畫界對她評價很高，她也在畫展上賣掉了不少作品。一九三九年，她在巴黎的畫展吸引了許多世界級大師的注目，畢加索（Pablo Picasso）、康定斯基（Wassily Kandinsky）、杜尚（Marcel Duchamp）等藝術大師都非常喜歡她的畫。這幾次畫展之後，費麗達不再只是以迪也哥妻子的身份受到重視，而是成了一位擁有國際聲譽的獨立的女畫家。

自紐約和巴黎畫展後，費麗達在事業和經濟上都比以往獨立，但是她和丈夫的關係卻日漸惡化。二人於一九三九年十月正式離婚。可是離婚後的費麗達並不快樂，仍然日夜思念迪也哥，孤獨難耐，再加上她舊病復發，每天需要穿戴一個重達二十公斤的儀器設備來支撐她的脊椎，不能隨意挪動，所以她的心理和生理狀態都很差。這一期間，她仍堅持作畫，把繪畫當作心理與生理的重要療程之一。《兩個費麗達》、《受創的桌子》、《夢》還有一系列獨特的自我畫像都表達了她這時痛苦、寂寞、失望的心情。也許因爲他們雙方都離不開對方，都受不了沒有對方的生活，一九四〇年在愛羅瑟醫生的勸和下，費麗達與迪也哥又復婚了。復婚後，二人都很快樂，並答應相互給予對方更多的空間。迪也哥依舊改不了他的本性，依舊吸引着女人也被女人吸引，其中一個情人還是艷麗的影星馬利亞．費麗斯。不過，他的情人後來大多都成了費麗達的好朋友。

在他們的婚姻裏，費麗達扮演的角色越來越像是迪也哥的母親，而迪也哥則像是個任性的孩子，在外頭瘋癲玩耍後，還要回到媽媽的身邊。費麗達有一幅畫她丈夫的畫像，把丈夫畫成一個大嬰兒，讓她抱在懷裏，背景是墨西哥的大地與前哥倫比亞文化中宇宙與

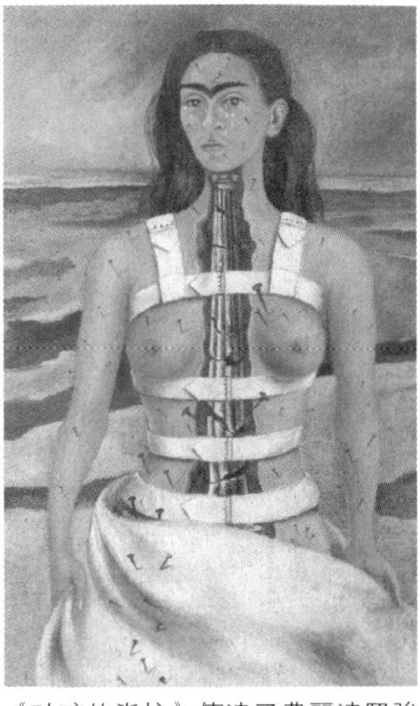

《破碎的脊柱》傳達了費麗達堅強的精神與對生命的希望

自然的象徵。

四十年代中期，費麗達的身體每下愈況，爲了支撐她的後背，她不得不穿戴一系列矯正骨形的緊身胸衣，她自己形容爲是一種「懲罰」。繪畫對她來說是貼近生命的方式，她在畫中並未表現自憐情緒，而是把自己塑造成一個勇敢的忍受苦難的女英雄。比如她的《破碎的脊柱》，背景是裂縫延伸的土地，而上身裸露的她，穿帶着鐵製的緊身矯正衣，身上釘滿了小釘子，而身體中間被解剖開，破碎而斷裂的脊柱猙獰地展示給觀衆，令人不忍卒睹。她的眼裏充滿了淚水，但並不絕望。這幅畫的裸體很性感，但又很恐怖，傳達了她堅強的精神與對生命的希望。她後來的畫，如《無望》、《小鹿》和《希望之樹》都把悲劇的受難者和英雄的生存者混合起來，以樂觀和堅強的眼光看待悲劇。自一九五〇年以後，她又做了七次手術，只能臥床作畫，醫生說她常常被迪也哥的愛所左右，如果丈夫細心呵護，她的病就恢復得很快，如果丈夫滯留在情人那幾夜不歸，她的病情馬上就惡化。一九五三年，她的右腿被截肢。這次手術幾乎讓她失去了活下去的「理由」，她甚至想過自殺。截肢後的費麗達更加信奉馬克思主義，還曾畫過一幅《馬克思主義給病人帶來健康》的畫，那病人就是費麗達。一九五四年她去世了，臨死前，她已經被墨西哥人民視爲偶像與國寶。她的丈夫寫道：「一九五四年七月十三日是我生命中最悲慘的一天。我永遠失去了至愛的費麗達……太晚了，我終於認識到，我生命中最美好的部分是我對費麗達的愛。」

三

費麗達長得很美，也很有性格。她的眉毛又濃又黑，幾乎連在了一起。緊連的眉毛和唇上像小男孩一樣淡淡的鬍鬚是她自畫像中反覆出現的特徵，個性十足，給人印象很深。歷史上像她這樣的畫家很少：三分之一的作品都是自畫像，即使不是自畫像，畫中的主角也一定是她自己。她的丈夫總是畫關於國家、政治和歷史的大題材，爲了宣傳無產階級文化。而她雖然信仰馬克思主義，關心勞苦大衆，卻擺脫不了所謂的「小資產階級情調」，從來都只是畫屬於她的小小的世界：父母、朋友、愛情、疾病、分離、生產、流產、衣服、裝飾、寵物、玩具等——一個典型的女人的世界。

費麗達繪畫關注的主要對象是自己的身體。我的一些朋友不喜歡她的畫，說她過於自戀。的確，她有自戀情結，似乎生活在一個自閉的世界裏，自我是她的開始，也是她的結束；自我是她的藝術資源，也是她痛苦的存在。然而這樣概述她又太簡單化了。她病痛的身體很眞實，是她生存的現實；身體是監禁她的牢房，但身體又是她與世界溝通的渠道。用評論家懷特妮（Whitney Chardwick）的話來說：「費麗達把繪畫當成一種手段，用它來探索自己身體的現實以及這一現實中她的意識；在許多種情況下，這一現實分解成了雙重的，外在的現實對立於內在的對此現實的認知。」更重要的是，這雙重現實都是女性的，是對女性生命的認知。

首先，她的女性世界最貼近自然與生命。在她的一幅題爲《根》（一九四三年）的畫中，她橫躺着的身體就像是一棵生命之樹，身體中延伸出綠色繁茂的枝葉，葉子上的紅色血管像根鬚一樣深入大地，把她與大地緊緊聯繫在一起，生生不息，循環不已。《我的奶娘和我》（一九三七年）畫她幼時的印第安奶娘，抱着兼有嬰兒身體和成人臉孔的費麗達，背景是南美洲的天空與植物。嬰兒費麗達吸着奶娘的乳房，而那乳房是透明的，其中的乳腺就像是樹枝與樹根一般。費麗達在此畫中強調自己的堅強來源於她一半的印第安血統，但同時畫出了女人乳房的普遍性——女人的乳房等同於大自然的養分。在《小鹿》（一九四六年）中，森林裏孤獨的小鹿渾身是獵人射來的箭，箭傷處流淌着紅色的血，而那小鹿的臉就是費麗達的臉，神色鎮定地看着我們。《希望之樹》（一九四六年）的畫中有兩個費麗達，一個側躺在病床上，背對着我們，半裸的腰椎後面有兩道很深的血痕，另一個是穿着墨西哥盛裝的費麗達，一手拿着「希望之樹，保持堅強」的小旗，一手拿着她常穿的緊身矯正衣。此畫的背景又是破裂的土地，象徵着她自己的遍體鱗傷的身體。

女人如大地，無言地存在着，超越時空，超越政治，超越意識形態；女人如樹木，花開花落，生死循環，依賴着陽光和水份，生於塵土又回歸塵土；女人之堅忍又如同大自然，其對大苦難與大悲痛的包容與天地一樣久遠，與天地一起共存。大自然中蘊藏着的女人性，永恆，這正是生命的眞理。與大自然和生命的銜接，使得費麗達小小的私人故事獲得了人類的普遍性，從個人的家園走到世界的各個角落，走到每個人的心裏。

從個人的經驗出發，費麗達對女人性的探索如同一把解剖刀，把自己的身體血淋淋地切割開，讓你看到她的心跳，她的痛苦，她的無奈與她的力量，讓你同她一起領悟女人的生成構造，女人的頂天立地，女人的多愁善感，女人忍受苦難的大勇，以及女人與生死的神秘關係。這一切只屬於她個人，但這一切又同時屬於所有女性，屬於宇宙間的所有生命。在《我的誕生》這一幅畫中，費麗達把女人生產的

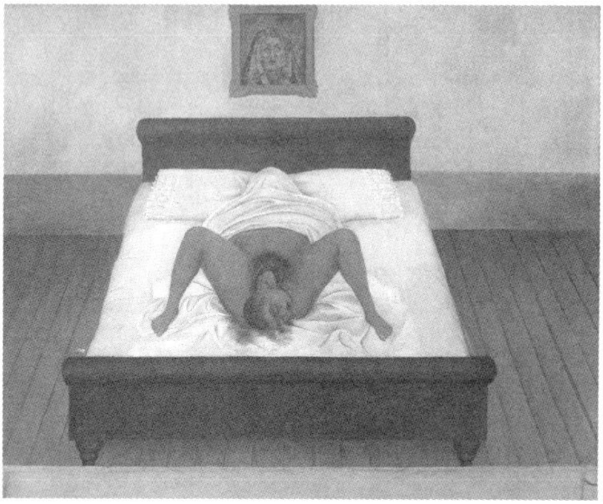

《我的誕生》暗示了生與死的共同瞬間，以及生與死同女人的關係

姿勢非常眞實而形象地畫出來，張開的雙腿中間生出一個嬰兒的腦袋，而這個嬰兒就是她自己，床上沾滿血，生產着的女人的臉部用被單蒙着，似乎已經死去。據學者考證，費麗達畫中的床就是她出生時的床，而此畫創作於她母親去世的時候，也正好是她三個月的嬰兒流產之後。費麗達認爲蒙臉的女人是她母親，但同時也是她自己，在日記中她寫道：「這個誕生了自己的女人寫出了生命中最美妙的詩」。其實，這幅畫暗示了生與死的共同瞬間，以及生與死同女人的關係。誕生了她的母親已經死去，而她未來要誕生的嬰兒也已經死去，但是女人生產的痛苦卻永恆而觸目驚心地延續着，人類的生生死死也永恆地延續着。她的丈夫迪也哥曾這樣評價此畫：「這次生產創造了一位史無前例的女人，這個女人能夠在自己的藝術裏，以任何人都無法超越的身體認同，表現女人的情感、責任和生產性。」

費麗達確實表現出了女人的共性與本質，然而，她又很注重自己的獨特性。她的每一幅畫都是她生命中的一個小故事。她說：「我畫自己，因爲我總是獨處。因爲我是自己最理解的主題。」比如《亨利伏特醫院》（一九三二年）表達她流產後的痛苦。畫中全身裸體的她孤獨地躺在病床上，手裏拉着六根紅色的臍帶，這些臍帶分別連着她三個月流產的嬰兒，她在車禍中受傷了的骨盆，腹部的下半部及一些手術的儀器，背景是底特律的工業城，她就在那裏住院。《記憶，或心》畫的是一九三七年她與丈夫分居的日子裏所受到的心理傷害。畫中的她站在海與大陸之間，站在兩件吊着的衣服之間，沒有胳膊。左胳膊從一件她學生時代的制服裏伸出，右胳膊從另一件她丈夫最喜歡的墨西哥民族服裝裏伸出。兩個小小的丘比特分別坐在一根鐵棒的兩頭，而這根鐵棒從費麗達的心臟部位穿過。她巨大無比的心擱置在陸地上，血不停地流入海裏、流入土地。「女人如衣服」在這幅畫中被身體、心、血液、意識、潛意識、文化符號等重新加以闡釋。《兩個費麗達》畫於她與丈夫正式離婚期間。一個印第安的費麗達和一個西班牙的費麗達手牽着手，她們中間有血管相連。印第安的她手裏拿着一顆紀念章，上面有迪也哥孩童時的照片，西班牙的她手裏拿着一把夾鉗，試圖夾住動脈，但沒成功，所以血流在她的裙子上。在此畫中，她畫出了自己的寂寞與孤獨，也同時強調自己的雙重人格：自己既是被觀看的人，同是也是觀看自己的人；既是受難者，又是一個能掌握自己命運的女人。她的心與血管又一次赤裸裸地暴露在觀賞者的面前，但她的沉靜的眼神卻告訴你，她不僅僅是一個被觀看的物件，她有血肉，有痛苦，有深刻的愛與恨，有掙扎也有勇氣。

如果把費麗達的自畫像歸結爲只是個人的，只是女人的，或只是身體的，會忽略了她創作時的歷史與政治背景。她生活的時代正趕上墨西哥革命，所有墨西哥藝術家都非常重視表現都市的現代化、殖民的過去、社會正義感、經濟改革與農村大衆等問題，其中墨西哥的本土文化成了藝術家擁抱的重要藝術資源。她與丈夫都是墨西哥文化復興的積極倡導者。費麗達的畫常常在細節中表現本土文化，表現她所認同的文化之根，像《我的奶娘和我》就是一個很好的例子。無論是在日常生活中，還是在她的自畫像裏，她總是穿着墨西哥的民族服裝，色彩鮮艷無比，如同節日的盛裝，而她配戴的每個小小的首飾都有很濃厚的文化象徵意蘊。她畫中所表現的忍受痛苦的身體，是對阿茲台克社群大變動所帶來的傷痛的認同。阿茲台克文化（即墨西哥印第安文化）對她作品的影響很大，她採用的許多象徵符號大多來源於此文化。就像她自己是歐洲與墨西哥印第安的混合種一樣，她的畫既能溶入充斥着佛洛依德的潛意識理論的超現實主義，又能回應着阿茲台克文化中對自然能量的解釋。費麗達的一系列關於女人與大地／水／自然的畫作，比如《水所給予我的》以及許多自畫像，很明顯地受阿茲台克文化中一些著名女神與母親形象的影響，而這些形象在墨西哥的俗文化與前哥倫比亞傳統中都極其流行。不過，費麗達並未把自己再現成一位女神，而是把這些大衆文化形象轉化到自己眞實的日常生活裏，保留了神秘、恐怖與悲劇的成分。墨西哥的國家運動與文化復興是她創作的背景，但她卻把原始的文化符號轉變成了自己個人的象徵語言。通過許多細節性的轉化，她實際上使本土文化傳統復活了。據朋友們回憶，當費麗達散步在紐約的街頭時，美麗的身着盛裝的她，就像是一個活生生的墨西哥藝術展品。

這位以畫女性身體而著稱的女畫家，雖然執着地表現生命的本質與苦難，可卻從不忘記探尋女性身體的文化與政治內涵。大概費麗達的畫充滿魅力的原因就在於它們的雙重性：既是個人的，又是全人類的；既是身體的，又是靈魂的；既是生理的，又是文化的；既是本土的，又是西方的。她自己國家的人們熱愛她的作品，而西方及其他國家的人們也同樣爲她的作品所震撼。她的丈夫這樣讚揚她：「費麗達是藝術史上絕無僅有的一位把胸部撕裂開來展示情感的生理性眞理的藝術家。」

（原載於《萬象》二〇〇二年十二月）

瑪雅：美國先鋒派電影之母

以「大拼盤」、「大雜燴」著稱的後現代主義文化並不崇尚「先鋒性」。在商品化的衝擊下，「先鋒小說」和「先鋒電影」幾乎面臨絕迹，不知是養育他們的土壤已經變得乾涸，還是它們自身已走到了盡頭，對動盪的社會失去了關懷與批判。然而，即使在先鋒派已不再時髦的今天，我仍然無法忘卻瑪雅·黛倫（Maya

Deren）的電影。講求實際而且內心浮躁的當代人也許會說她的電影不過是在賣弄玄虛，追求形式，刻意地標新立異，可我卻能從她的電影中感受到一種永恆的詩意，一種與商業社會格格不入的詩意。這種詩意既是視覺的，又是文學的，更是女性的；這種詩意有着天使的翅膀，能夠超越時代的界限，給人以震撼和啓迪。

電影界通常稱瑪雅爲「美國先鋒派電影之母」，因爲她在二十世紀四十年代的美國最早開創了小型的獨立電影製片的形式，以有限的個人資金來運作電影製片的全部過程，從策劃到導演，從表演到推行，皆獨立操作。她的作品雖然從規模和製作上無法與好萊塢大片相提並論，然而，其獨特的藝術追求卻對好萊塢的電影工業生產發起了尖銳的挑戰，令人不得不刮目相看。無論多麼艱難，她的作品始終不受商業化與大衆化的侵蝕，在隨波逐流的夢幻工業生產中始終保留着水仙花般的清香。影評家紛紛肯定她作爲一位女性導演對美國先鋒派電影的貢獻，然而卻很少從女性的角度來解讀她的電影，主要原因是瑪雅的電影涉及面很廣，除了表現女性，她也非常關注電影

美國先鋒派電影之母——瑪雅

與舞蹈、空間和時間的關係，以及電影與人類學的關係。我欣賞她的先鋒意識以及女性的自我意識，但是最吸引我的，還是她所強調的藝術家的道德責任感和藝術家在人類社會應該如何自我定位的問題，這些問題即使放在今天的中國也一樣值得我們深入地探討。

—

一回憶起瑪雅，朋友和同行們總愛提起她那一頭蓬鬆隨意、象徵着自由與開放的髮型。雖然這種髮型在八九十年代的大街上比比皆是，並不稀奇，可在她生活的年代裏卻是個異數，基本上讓她脫離了商品式的「妖艷美女」與溫順的「淑女」等範疇。四十年代的美國電影界還屬於男性的領域，演藝界習慣地把女性塑造成「被看的」客體：美麗、嫵媚、無辜、被動，永遠需要男性的庇護，即使偶爾在「看」的時候也只是順應着男性的敘述邏輯與敘述方式。然而，瑪雅在她自己的電影中所扮演的女性形象，卻有一雙大大的、好奇的、聰慧的、充滿個性的眼睛。這雙眼睛永遠在積極地解讀着人群，解讀着世界，解讀着自己，給美國的電影界帶來了一個全新的女性形象。於是，無論是電影中的由她自己扮演的女性形象，還是電影後面身爲導演的她，都大膽地打破了傳統觀念對女性形象的解釋與塑造。

瑪雅多才多藝，身兼導演、演員、電影理論家、電影編輯、製片人、人類學家、舞蹈家及詩人等多種角色。像她這樣全方位的才女實在讓人羨慕，在短暫的一生中挖掘出自己所有的潛能與才情，並淋漓盡致地發揮了出來。她不是一個土生土長的美國人，而是一個從蘇聯移民到美國的猶太人，出生於蘇聯紅色革命爆發的那一年，也就是一九一七年。由於傾向於托派，她的父親必須逃避政治迫害，帶着一家老少移民美國。也許她的蘇俄血液使她天生就喜好關注人生與社會的問題，天生就無法承受生命之「輕」，天生就具有體悟、思考生命本質的能力。在紐約大學和史密斯大學主修英國文學碩士期間，瑪雅曾是美國社會主義黨的活躍分子，並嫁給了一位蘇聯社會主義者。畢業後，她先是寫詩，做出版商的助理，後又迷上了現代舞蹈，跟隨著名黑人舞蹈家凱瑟琳．鄧哈姆（Katherine Dunham）在美國各地巡迴演出，並受其影響，對海地的人類學研究產生了巨大的興趣。文學、舞蹈、人類學——這些年輕時的愛好與追求，爲她後來的電影創作提供了獨特的視野與角度。

二十五歲那年，瑪雅一舉成名。她的處女作《下午之網》雖然只有短短的十五分鐘，然而其先鋒性與獨創性卻出人意料地征服了美國電影界的同行們，爲她贏來了「美國先鋒派電影之母」的稱號。這部實驗性電影的產生似乎很偶然，瑪雅從父親那裏繼承了一點錢，於是買了一架二手的十六毫米波來式攝影機，與她的第二任丈夫，也就是從捷克來的電影導演亞力山大·哈米德合作，在短期內製作出這部爲她帶來輝煌、並被譽爲「美國先鋒派電影的里程碑」的作品。不久，瑪雅又製作出另外三部實驗性電影——《陸地上》、《攝像機中的舞蹈學》和《變形時間中的儀式》。一九四六年，她租了紐約的「省鎮劇場」，邊放映邊演講自己的三部電影，題爲「三部被拋棄的電影」。這一大膽的舉動爲其他電影獨立製片人帶來了靈感，如著名導演阿莫斯·瓦格（Amos Vogel）後來組建的專門扶植實驗電影和獨立製片的電影社——「影視十六」（Cinema 16）就是受到了瑪雅的啓發。學者尼可斯(Bill Nichols)是這樣評價她的：「瑪雅扮演了影界的普羅米修斯的角色，從好萊塢的衆神手中盜來了火把，照亮了那些不被衆神認同的人們。」這位女性盜火賊的電影作品，有着鮮明的先鋒意識，巧妙地運用電影語言來表現夢境與現實、潛意識與性心理、空間與時間等微妙而又緊密的關係。她不僅獲得了具有很高榮譽的哥本哈根基金會的獎金，而且她的電影《下午之網》還在戛納電影節獲得了十六毫米實驗電影的國際大獎。在世界電影史上，她是第一位美國人也是第一位女導演首次獲得此項大獎。

二

一談起所謂的「先鋒性」，我們總是將其等同於「標新立異」，等同於個性化，等同於形式主義上的創新。可是瑪雅對「先鋒」的闡釋，卻不同於俄國形式主義者，不同於只強調個人風格和唯「新」的形式主義，相反的，她強調的是藝術形式所包含的倫理意義。她在自己的電影理論著作《關於藝術、形式及電影之文字迷語》中寫道：「對於一位嚴肅的藝術家而言，形式的美學問題，本質上是一個道德問題……藝術作品的形式即是其道德結構的心理顯現。」她對藝術史的定義是：「藝術史就是個人與他生存的宇宙、以及它們之間的道德關係的歷史。」瑪雅這裏所指的藝術形式的道德性，令她一味在形式上追求創新的同行們困惑不已：到底「先鋒性」與「道德倫理」有着什麼樣的內在聯繫？爲什麼她不肯刻意強調藝術形式的個性化？先鋒電影的意義究竟是什麼？

雖然瑪雅在這本電影理論著作中解釋得不夠清楚，可是她在題爲「用新的維度來創作電影：時間」一文中卻間接地回答了這些問題：

> 對「新」的發現與體驗的慾望，一定要對個人的成長和文明的進步負責。所以，我認為，着眼於在世界總體上創新的勞動力，絕對比着眼於再生產已經熟悉的事物的勞動力更有價值。如此說來，正因為電影不同於其他媒體，能夠創造出時間與空間的新關係，才使得我在電影製作中重視這種短暫的考慮。但是，請記住，無論是何種技術，都應該為整體的形式服務，都應該符合這一主題和它發展的邏輯，不能只是展示方法，不能只是向電影同行們炫耀。

也就是說，瑪雅並不看重那些爲創新而創新的形式主義，哪怕這些形式有多麼「新」，多麼「先鋒」。對她來說，創新是藝術家了解世界的手段，而不是最終目的。換句話說，她考慮的是藝術家的職責，以及藝術家對人類生存條件的反思。電影工作者與任何藝術家所肩負的道德責任，就是要理解創新或「先鋒」與人類進步和人類生存的關係，通過「先鋒性」來探尋人類的終極意義。她反對沒有任何主題或精神內涵的形式主義，反對打着「先鋒」旗號而空洞地玩技術、玩技巧的前衛藝術。藝術家從事電影創作，不是爲了達到技巧上的自我表現與自我膨脹，而是以電影爲中介，創造出一種新的空間和時間的關係，由此傳達出具有深遠意義的主題。

美國學者熱內塔·傑克森(Renata Jakson)指出，從瑪雅所主張的藝術形式的倫理性中，我們其實可以看到艾略特（T. S. Eliot）、龐德（Ezra Pound）、列維斯（F.R. Leavis）、阿諾德（Matthew Arnord）等文學大師的影子。的確，對於這些大師而言，文學藝術的目的是爲了啓發社會，交流道德價值。他們提倡回歸古典的理性思考，回歸具體與經驗性的語言，反對十八世紀末的浪漫主義，因爲這些庸俗的浪漫主義追求的是逃離眞實生活的個人主義。顯然，瑪雅繼承了這一傳統，她對藝術的眞實性是這樣定義的：「藝術的特徵，既不是簡單的對痛苦的表現，也不是對痛苦的印象，而是其本身就是創造痛苦的一種形式。」也就是說，藝術倘若失去了感染觀衆的力量，只是孤芳自賞，不知所云，那藝術也就失去了它存在的先決條件。她自己在電影創作中努力地嘗試這一理論，絕不張揚藝術家的「個人主義」的表現，而是張揚「儀式」——舞蹈的儀式，人與人交流的儀式，各種不同文化的文化儀式。她認爲，藝術中的形式等同於儀式，也可以說提供了一種類似於非工業文化中的儀式，而這種儀式本身具有深刻的倫理道德內涵，它對於抵制工業文明所帶來的負面影響有着「先鋒」的意義。

由於追求儀式、追求藝術形式的倫理性，瑪雅得到哥本哈根的獎金後，去了海地，準備拍攝海地的巫術儀式與舞蹈。後來，電影雖未完成，可爲後繼的電影研究者和人類學家留下了寶貴的材料。與此同時，她完成了一本有關海地巫術的著作，題爲《神性的養馬人》。回到美國後，她似乎過於沉浸於巫術，不但自己深信巫術，還常常演練巫術，屋裏堆滿了巫術的擺設。朋友聚會時，她甚至有時被神附體，做出一番讓人無法解釋的事來，儼然成了電影界有名的小巫婆。迷戀巫術，演練巫術，使瑪雅在西方電影界頗受爭議。然而，她去世之後，電影研究者們還是充分肯定了她從電影的角度對人類學的貢獻，尤其是對海地巫術研究的貢獻。我想，她對「巫」的迷戀，與她迷戀舞蹈有關。舞蹈與巫術都有着特殊的藝術形式，都是生命原動力的體現。也許正因爲她生活在繁華的、進步的、喧囂的工業文明中，她才更加深深地感到藝術的形式已經遠離了她內心的「理想狀態」——儀式化的倫理的狀態；正因爲她把藝術的形式看得有如原始文明的巫術一般神聖與神秘，有着強烈的感染人的力量，有着最本質的生命衝動，她才如此忘我地在原始生命的癡迷狀態中汲取力量。她後期的兩部電影作品——《反思暴力》與《夜晚的眼睛》，再次探索儀式化的舞蹈所包含的心理內涵、文化韻味與人生哲理，以及電影獨特的表現形式。在重複的旋律和舞蹈動作裏，觀衆可以感受到一種生命力的爆發與神性的光華，感受到一種不可言說、只能領悟的「道」。

和許多同時期的歐美先鋒派與現代派的藝術家不同，瑪雅雖然一樣對工業文明充滿了質疑，可是她不主張回到藝術家的個人化與內心化，相反的，她主張回到個人與群體的關係中，在被工業社會拋棄的原始文明中尋找藝術的「光暈」，在神秘的儀式中尋找藝術的詩意與莊嚴。她的影片總像是一首清麗而又高遠的詩，又同時懷有濃縮的宗教情懷和氛圍，令觀衆在生命的節奏和舞蹈中諦聽、緬想與感悟。

三

瑪雅的電影作品，我最喜歡她的處女作《下午之網》。這部影片並不是她最成熟的作品，但是卻充滿靈氣與天籟之聲，從容而幽雅。它不僅是一部表現男權社會中的女性空間的電影，也是一部深入探索人類潛意識心理的電影。

這部電影最引人入勝的地方就是瑪雅本身。她自己扮演自己，觀衆看到的是她的個人經驗、個人情感、個人空間、個人夢幻與個人焦慮。這種以女性自身經驗和家庭空間爲主題的女性電影，不由得讓我們聯想起維吉尼亞·伍爾芙的小說《達洛衛夫人》與《燈塔行》，聯想起墨西哥女畫家費麗達 (Frida Kahlo) 的自我畫像。

家似乎是女性藝術家最喜歡表現的一個空間，女性在家中不爲人知的焦慮和沮喪只有女性藝術家最爲了解。可是，瑪雅卻不強調「個人主義」，不把自我封閉起來。我們從她的身上，從她的私人空間，從她與丈夫的愛與恨的關係中，看到的是普遍的全人類的女性問題，以及女性與男性之間的關係問題。她所表現的是一種生活中的儀式，一種不同於宗教但又類似於宗教的生活儀式，從中透露出她對人生哲理的思考。

《下午之網》是一部只有十五分鐘的黑白無聲電影，富有節奏感與神秘感的音樂是後加的。電影沒有什麼故事情節，主要刻劃女性與家庭空間的複雜關係。瑪雅所扮演的自己，身着一件連衣裙，從街角看到一位神秘的黑袍人，尾隨着他進入巷内，經過家門，於是用鑰匙打開房門。我們隨着她的眼光和腳步打量着房裏的一切，審視着與她息息相關的一切：飯桌上擺着麵包和刀，沒掛好的電話放在樓梯口，留聲機裏放着無聲的唱片，二樓是她與丈夫的臥室，有一張醒目的大床。下樓後，她坐在廳裏的椅子上睡着了。這之後，同樣的瑪雅，沿着同樣的路程反覆走了四遍，只不過每次的銜接點不同，側重的空間和時間略有不同，節奏也不同。神秘人曾出現在樓上的臥室，面向瑪雅時，臉上原來是面鏡子。後來房間裏出現了四個瑪雅，鑰匙與刀的意象交錯着，彷彿瑪雅的一個自我要殺死瑪雅的另一個自我。然後，丈夫也沿着瑪雅的路程走進房內，與她先是親熱，後來變成了相互的謀殺。走在家裏地板上的腳步，彷彿走在海邊與沙灘上。影片最後的鏡頭是丈夫再次回到家中，家裏坐着不知是睡着了還是死去了的瑪雅，身上和地上滿是鏡子的碎片和海草的碎片。電影中一個著名的鏡頭——瑪雅隔着窗戶觀察着外界，眼神裏既沒有憂傷，也沒有絕望，只有客觀的探詢的神態——成了一個經典鏡頭。瑪雅從家中看外界，看的其實是她的另一個自我。

這部電影刻劃的是現實中的女性——被家庭空間局限的女性，與丈夫生死相纏的女性，寂寞孤獨的女性，自我審視的女性。無聲的眼神傳遞着似夢似幻的信息，鏡頭自由地游離在夢境與眞實生活中，游離在意識和潛意識中。生與死，男性與女性，家裏與家外，這一切在夢與現實混雜的氛圍裏，沒有鮮明的界限。於是，夢與現實互爲折射，女性的家庭空間與內心空間交織在一起，展示了女性的慾望與恐懼，以及兩性互相依賴又互相折磨的關係。重複的路程，重複的瑪雅，重複的情節，重複的鑰匙，重複的刀，重複的神秘的黑袍人，所有的重複都是爲了表達生活中的儀式；每個腳步，每個動作，每個眼神，每個擺設，自有它的韻味，都似生活中的點點滴滴，回蕩着生活的場景，也回蕩着生活的節奏。四個不同的瑪雅，象徵着她不同的個體與不同的層面，而連接每個瑪雅的是房門的鑰匙。鑰匙是儀式中最重要的隱喻，打開的是生活，是潛意識，是人類複雜的心理層面。許多影評家把這部電影看成是瑪雅在動盪的現代社會中對自我的追尋，我覺得這樣的評價過於簡單。事實上，雖然瑪雅對女性私人空間的表現是屬於她個人的，可她卻刻意地追求「非個人化」。正如她所論述的：

儀式化的形式在表現人類時，不把人類當作戲劇行動的源泉，而是當作戲劇總體中某種非個人化的元素。這種非個人化的動機，不是為了毀掉個人；相反的，它把個人擴大，延伸到個人的維度之外，把個人從個性的專業性和局限性中解放出來。

而她所說的「儀式化的形式」，有着某種神秘感，即使掌握着現代科學技術的電影工作者想有意識地控制，也無法眞正控制和眞正領悟。在儀式中，個體常常沉迷在無意識的狀態裏，被無法言傳的神秘力量所控制；而通過儀式，個體又常常能夠經歷靈魂轉化或超越自身，產生新的文化意義與社會認同。從這個角度看《下午之網》，我們看到的是女性的儀式，家庭的儀式，兩性的儀式，而瑪雅的任何一個自我，任何一個層面，都無法完全控制家庭空間，控制她所有層面的自我。可以說，在異化的現代文明社會裏，個人的異化是不可避免的；然而，這些儀式化的形式，卻成了瑪雅反思與批判異化的家園。

如同《下午之網》，瑪雅的所有作品都透露着某種神秘感與對儀式化的藝術形式的追求。如果只是用佛洛依德的理論去解釋她電影作品中夢境的象徵意味，那我們就會忽略她作品中「巫術」般的神秘體驗；如果只是用女性主義的理論去解釋《下午之網》、《陸地上》和《變形時間中的儀式》，那我們就無法體會她所倡導的藝術形式的倫理性。可以說，在她的作品面前，一些當代流行的文學與文藝理論不僅無法觸及其核心，更是無從領悟其悠遠的詩意。

四

當人們感慨現在已經沒有人再看「先鋒作品」時，常常只看到外界商業化的衝擊，很少有人反思先鋒作品自身的問題和「先鋒」的定義。二十世紀的中國文學和電影，與政治的關係過於緊密，藝術成了爲政治服務的工具。改革開放後，八十年代末出現的「實驗小說」主張回歸語言本身，回歸形式本身，實際上這種回歸是對政治的某種反叛。可以說，這一時期的文學作品還有非常「前衛」的精英的感覺，還很尖銳，很反叛，很有精神內涵。可是，九十年代後，所謂「先鋒文學」似乎失去了那種反叛的激情，對頹唐、低迷、平庸的商品社會失去了批判的能力，只是沉浸在對語言與形式的玩賞中，留戀於頹廢的美學，封閉在「私人空間」裏，對自己和時代失去了洞察和反思的能力。而所謂更「先鋒」的後現代主義作品，則成了一個沒有意義的大拼盤，把各種高雅的、通俗的文學藝術載體並置在一起，不求規則，任意剪貼，搞得如花團錦簇，令人眼花繚亂，但常常讓人感到不知所云，不知道作品本身想傳達的是什麼意義。

這些所謂「先鋒作品」所缺乏的，正是瑪雅所倡導的藝術形式的倫理性。一談起「倫理」、「道德」，我們會覺得它們似乎離「先鋒」的概念很遠，似乎太過時了。不錯，我們這個時代最崇尚的是「個人主義」，是時尚；然而，「個人主義」倘若只是意味着個人的自我膨脹，只是意味着滿足於體驗自我創作的快感，而不關注人類的命運，對自己和人類的生存條件失去敏銳的感覺和深刻的反省，那它最終只會變得萎縮、乾涸、無生命力。當我們丟失了藝術家的道德責任感，當我們離人生的眞諦越來越遠，我們還剩下些什麼呢？

在《關於藝術、形式及電影之文字迷語》一書中，瑪雅寫道：「文字迷語就是字與字的組合，在這種關係裏，每個字同時都是一個比線性關係更複雜的元素……每個元素與全局的關係是如此的息息相關，以至於任何一個元素的變化都會影響到整個系統與全局。」個人就如同文字迷語中的元素，與他所生存的環境是緊密聯繫的。正因爲這一原因，藝術家的創作對人類的進步負有責任。我想，瑪雅給我們最好的啓示恐怕就在於她對「先鋒」的定義。在我們生存的平庸而喧嘩的時代裏，她所強調的藝術家的道德責任感有着獨特的意義。每一次觀賞她的作品，我都能感受到她作品中的詩意與美感。她的藝術理論與實踐，使得藝術本身等同於儀式，而這種儀式有着特殊的宗教氛圍和超驗的精神意味，文學藝術因此才不會失去神性的光環，也才不會失去令人着魔的力量。

文學藝術是我們的精神家園，這句話在瑪雅的電影裏得到了最好的體現。

（原載於《書城》二〇〇三年十一月）

崔明霞：來自越南的導演奇才

每次看崔明霞（Trinh T. Minh-ha）的電影，都不得不思考。從她的電影中，我雖然也得到了感官的愉悅，但更重要的是，得到了思考的愉悅。她的每一部電影都很有深度，極富創意，從顏色到音樂、從剪輯到主題、從敍述到設計，都有她非常獨特的聲音和語言。我想，她大概屬於那種流動性的「邊緣人」，游離於各種專業之間，既是加州柏克萊大學的教授，又是電影導演，既是劇本撰稿人，又是攝影師兼剪輯師，既是音樂家，又是詩人。也許正因爲這種多邊人和漫遊者的角色，使她從未失去藝術的原創力，從未被任何一種專業的條條框框所束縛。她的電影屬於典型的「女性書寫」，永遠在挑戰着現有的規範和任何意義上的界線。

第一次聽到崔明霞的名字大概是在十年前，那時我剛剛進入哥倫比亞大學，博士導師是王德威教授。由於哥大鼎鼎有名的薩依德和斯皮瓦克教授都專注於後殖民主義理論，我們這些研究生受其影響，也紛紛閱讀這一類書籍。崔明霞出版於一九八九年的《女人，本土與他者》（*Women, Native, Other*）給了我很深刻的印象。這本書既屬於後殖民主義理論，又屬於女性主義理論，不過讀起來不太像學院派的學術著作，反而更像散文和雜感，雖然時時有理論辭彙出現，可是並未給予嚴格的定義。記得當時我還直納悶，原來還可以這樣寫理論著作。後來才知道，她的這本書在出版過程中遇到過很多波折，老是「嫁」不出去。其實，崔明霞一九八三年就已完稿，可是前後被三十多家出版社拒絕出版，據她回憶，這些大學出版社、商業出版社和小出版社像踢皮球一樣地把她的書推來推去，拒絕的理由主要是此書不符合「市場的範疇」和「專科的規範」，超越了學科的界限。幾經坎坷，直到六年後才正式出版。具有諷刺意義的是，這本書現在反而成了美國大學的經典教材，是後殖民主義理論的代表作之一。

由於好奇，我後來找了一些她的資料來看，才更了解她的身世背景。原來，崔明霞一九五三年生於越南，家裏有六個兄弟姊妹。她的童年不僅有貧窮和戰爭的記憶，還有被歐洲文明殖民的記憶。中學在西貢學習音樂史和音樂理論，後又進了西貢大學，一九七〇年移民到美國，那一年她十七歲。她的大學本科專攻音樂和法國文學。在伊利諾大學獲得法國文學碩士和博士學位後，她沒有立即工作，而是去法國進修民族音樂，然後又去非洲塞內加爾教了三年書。這三年獨特的工作和生活經驗造就了她的第一部充滿先鋒精神的電影紀錄片《重新組合》（*Reassemblage*, 1982）。這之後，她又連續拍了幾部電影紀錄片，得了許多國際大獎，還出版了好幾本關於後殖民主義理論、電影理論、人類學等方面的著作，也出版了個人詩集，並任教於加州柏克萊大學的女性研究系和電影系。

住在紐約的好處，就是時時都能呼吸到新鮮的文化氣息。那時，我常常和先生一起去看博物館，聽音樂會，參加各式各樣的電影節。也因此及時地觀賞了幾部崔明霞的電影作品，看過之後，一直驚嘆越南也能誕生這樣的奇才。來自越南的導演中，我很喜歡居住在巴黎的越裔導演陳英雄的作品。他的《青木瓜香》是一首樸素又充滿自然之美的詩，《三輪車夫》則把美麗與殘忍、愛情與肉體、詩意與荒蕪糅合在一起，令人在感官刺激的畫面裏，咀嚼到創傷纍纍的土地和現實所帶來的辛酸。此外，加入美籍的包東尼的電影《戀戀三季》也很有意思，象徵着過去的純情採荷女、神秘詩人以及飄滿白荷花香的傳統庭院，在西方商業文明的衝擊下，已經快被高速度的都市生活所遺忘；而越南就像是一個隨時可以出賣自己身體的妓女，被現代文明蹂躪着，只有在鮮紅的木棉花下，才能看出昔日的美麗。跟他們的作品相比，崔明霞的電影既不是傳統意義上的紀錄片，也不是在大眾電影院放映的故事片，而更像美國的「先鋒派電影之母」瑪雅．黛倫的「獨立片」。崔明霞和瑪雅一樣，都是自編自導，都有人類學的關懷，都有一雙敏感的眼睛和騷動不安的靈魂，而且同樣執着地在「第三世界國家」的日常生活儀式裏尋找工業文明社會裏早已蕩然無存的記憶和芳香。崔明霞於一九九一年獲得著名的「瑪雅．黛倫獨立電影製片獎」，毫無疑問，崔明霞繼承了瑪雅．黛倫開創的先鋒傳統。

就像她的寫作不斷超越類型的邊界，把理論、詩歌和非話語式的語言結合在一起，崔明霞的電影也在不停地逾越傳統的邊界，把戲劇、舞蹈、音樂、建築、攝影等融合在一起，徘徊於故事電影、紀錄片和實驗電影之間。每次參加世界電影展時，她都非常煩惱，因爲她的電影很難被歸類。比如紀錄片類的評委不僅很難接受她的拍法，而且不知道她的電影是應該被放入教育類還是社會類或是少數民族類？如果她去競爭「藝術電影」或「實驗電影」的獎項，她也常常會遇到類似的困境。可是，正因爲她的這一游離立場，使得她的電影很有生命力，不僅能挑戰觀衆的期待，而且能對主流的霸權話語和規範提出尖銳的質疑。

她稱自己的電影是「第三種電影」：「第三種電影的運動，就是要拒絕被典型化的關於第三世界電影的概念，好像第三世界電影都只能集中表現特殊的社會政治問題……爲了區別於其他電影，第三種電影要在三個階段提問：第一個階段是製作，也就是說是用哪一種電影語言並用哪種方式製作電影；第二個階段是發行；第三個階段是展覽。用另一種語言來說，電影不是用來消費的商品，而是能夠製造一種情境，使得人們能夠討論一些問題並且能夠相互挑戰各自的特殊專業和領域。」

崔明霞對商業電影的拒絕，讓我們想起了自瑪雅·黛倫以來的先鋒電影傳統，也讓我們感受到她的非犬儒式的藝術家立場。在商業社會中，許多藝術家屈服於金錢，放棄自己的原則而製造商業片。崔明霞則屬於那種獨立、孤傲的知識分子，絕不迎合商品社會，不斷質疑社會的成規和定見。她屬於《東方主義》的作者薩依德所定義的那種從專業中漂流出來的「業餘人」，不被專業的例行作法所約束，把視野投向廣闊的社會文化領域，保持藝術家的道德責任感，不向世俗觀念低頭。

雖然崔明霞的電影無法像商業片那樣流行，可是在美國知識分子圈裏還是非常有名的。去年春天，我遇到馬里蘭大學音樂系的一位教授，談起崔明霞的一部電影《愛的故事》，她稱讚不已，說這部電影實在太美了。我也很喜歡這部片子，於是介紹給我的父親看，沒想到他也連連稱讚，也非常推崇崔明霞獨到的電影語言。

崔明霞的每一部電影都有她獨特的聲音和語言

以往崔明霞拍電影，都不事先準備腳本，她一邊積累攝影材料一邊思索，有許多即興發揮和反思的餘地。攝於一九九五年的《愛的故事》，由於預算和時間的問題，則必須準備腳本，不過，整個電影故事的敘述方式還是很隨意的，給觀眾留下了大量闡釋的空間。這部電影實際上是崔明霞版的「故事新編」。《愛的故事》是對越南傳統的愛情史詩——《秋的故事》（*The Tale of Kieu*）的重新書寫。秋是一個美麗善良而又很有才華的年輕女子，爲了她貧窮的家庭，不得不犧牲清白，淪爲妓女，愛情也屢經波折。這個膾炙人口的越南傳統故事，在崔明霞的電影中，成了越南身份尤其是越南女子身份的一個隱喻。越南就像是秋的身體，被法國人殖民，被美國人殖民，被社會主義殖民，被資本主義殖民；越南女性就像秋一樣，被人傳誦的美德是忍耐與犧牲，而不是抵抗。《愛的故事》中，女主人公的名字也叫秋，不過她是從越南移民來美國的年輕的自由撰稿人，靠給人當模特爲生，在影片中她邊工作邊在爲一個女性雜誌撰稿，寫「秋的故事」對美國越裔社區的影響。在重新閱讀古老的「秋的故事」的過程中，女作家秋的自我意識越來越強，終於揭開層層面紗，拒絕做被窺視的客體。

崔明霞的其他電影都比較像紀錄片，而這部則接近故事片。我非常喜歡她的顏色，紅、黃、藍三種主色調營造出唯美的氛圍，每一個場景都充滿女性的氣息，典雅、寧靜和神秘的格調緊緊包圍着觀衆，女人常用的香水似乎滲入到這些色彩中，柔和的光微微地顫動着，每個畫面都隱隱約約地散發着芬芳。也許你會覺得這些唯美的畫面可能過於雕琢、過於裝飾，但崔明霞卻故意用這種像女性刻意打扮的效果來製造愛的氛圍——一種非自然的氛圍，一種令人沉醉的芬芳，一種接近女性所夢想的詩情與畫意。於是，愛通過色彩、味道、聲音和眼神一點點蕩漾開來。

然而，這部電影講述的並不是女作家秋的愛情故事。雖然影片中有一小段對她過去曾愛過一個有婦之夫的回憶，整個影片主要是關於愛這一行爲本身的故事。秋愛的是寫作，不是男人。她在夢想與夢幻裏找到快樂，在詩歌裏找到心靈的家園。秋對知識的追尋，對女性創造力的眷戀，這些行爲本身就被愛的衝動和激情濃濃地包裹着。浪漫的愛情是詩人所想像出來的——秋就是這樣一個活在想像世界裏的詩人。不過，寫作的女人在現實世界裏總是難以生存，開始她寄居在姨媽家，爲她做家務，但是姨媽不理解她爲什麼不結婚，也不理解她爲什麼需要有一屬於自己的房間來從事寫作。秋爲了寫作，只好給攝影師阿力翰做模特兒，但她發現攝影師需要的只是女性的身體，而不是女性的頭腦。通過秋的模特兒經歷，崔明霞揭露了社會上所流行的愛情故事中女性被窺視以及女性沒有頭腦的狀況。

《愛的故事》不是單線條地敍述秋的故事，而是有許多層面。導演展開許多線索，比如女性對愛的體會，秋對《秋的故事》的再闡釋，越南移民在美國的生活，西方看東方，男人看女人，女人對這些眼光的回視，女人的書寫與女人的空間等等，幾個層面並置在一起，縱橫交錯，共同呈現出現在和歷史，身體和慾望，夢想與現實。有意思的是，整個故事沒有高潮與結局，是完全開放式的。不過，雖然線索很多，可是電影的中心一直圍繞着「窺視」這一問題進行。正如崔明霞自己所總結的：

在敍述愛情的歷史裏，窺視一直存在着。而在這部電影裏，窺視是組織電影「敍述」的線索之一。這是一部關於愛情的電影嗎？這是一個愛情故事嗎？就像題目所揭示的，一切都僅僅只是「故事」而已；一個關於戀愛故事中虛構的愛情及其消費過程的故事；一個把傳統敍述模式邊緣化了的故事，而傳統敍述中通常包括行為、劇情、時間和角色等等組成元素。《愛的故事》開拓了一個空間，在這一空間裏，現實、記憶和夢不停地互相穿梭着，既有直線的時間也有非直線的時間。它提供了一個關於電影的感官經驗和知識分子經驗，可以被看成是顏色、聲音和反思的交響樂。就像電影中的一個人物所說的，「敍述是香味從愛人傳向愛人的軌迹」。

當然崔明霞所說的窺視，不僅是男人對女人的窺視，觀眾對愛情故事和性慾的窺視，也是西方對東方的窺視。就像古老故事中的秋不斷地被窺視與消費，而越南又何嘗不是一個被西方想像與窺視的客體？越南在西方的眼裏，就像女作家秋在攝影師的眼裏，只有身體，沒有頭腦。攝影師透過層層面紗去看秋，如同越南被層層地包裹在西方對東方的想像裏。秋質問攝影師：「一個沒有頭的身體。女人是不是都不應該有頭？……她只是肉體和身體——他才是頭，才是頭腦，思想着的眼睛。」電影接近尾聲的時候，秋想像着攝影師成了盲人，就像《簡愛》中的男主人公成了盲人一樣，而她成了注視的主體。影片中她直視鏡頭的眼神，讓觀衆、讓所有窺視者感到不安，好像他們倒成了被看的客體。在她的注視下，男性看女性，西方看東方，都無法像以往那麼隨心所欲，無法那麼「自然」了。

《愛的故事》其實還有許許多多的空間等着觀衆去闡釋。對我來說，最有意義的是把越南傳統的愛情故事移植到後殖民的語境裏，這種移植不僅爲我們提供了一個重新思考女性身體的視角，也提供了一個重新思考後殖民語境中文化認同的視角。在崔明霞的想像世界裏，女性的慾望和創造力的覺醒合爲一體，是感性的，也是理性的；而西方對東方的想像，男性對女性的窺視，時時被審視，被拷問，被質疑。可以說，這是一部典型的女性主義的電影，同時也是一部思考東西方文化衝突的電影。

比起《愛的故事》這部充斥着虛構和幻想成分的敍述電影而言，崔明霞的其他電影更立足於現實。《重新組合》集中體現的是非洲女性的身體與生活；《裸露的空間——生活是圓形的》拍的是非洲居民的居住空間、建築和生活方式；《姓越名南》拍的是來自越南各個地區的女性對越南歷史的講述；《第四維度》描述的是日本這一高度發達的資本主義國家所保留下來的民間習俗和傳統禮儀。與其說這些影片是紀錄片，不如說它們是實驗性電影。其中一些實驗性的電影技法總是讓人聯想起「新浪潮」的電影大師Jean-Luc Godard和美國先鋒派女導演瑪雅．黛倫的作品。

敍述者「我」是崔明霞影片中常常出現的一個聲音。《重新組合》中，「我」的聲音常常從富有節奏感的非洲女性勞作的變奏裏凸顯出來：「這是一部關於什麼的電影？我的朋友問道。」這種自我叩問、自我反思的聲音也常常出現在Jean-Luc Godard的電影裏，只不過在崔明霞的作品中，它代表着一種「自我反思式」的女性聲音。原始的土地，樸素的勞動，與大地相通的節奏，像自然一樣美麗的非洲女人的乳房，所有這一切都深深地吸引着崔明霞。她發現自己既是一個生活在其中的人——同樣是來自第三世界的人，又是一個外來者。以前西方人類學家總是把非洲女人的乳房看成是對立於文明社會的原始文化的象徵，崔明霞則在非洲女人裸露的身體裏找到了詩意，從中看到生活的快樂和眞諦，看到四季的循環，看到無邊無際的生命的野性和美。影片中記錄了一個非洲的傳說，在傳說裏，非洲女人被看成是火的擁有者：既有毀滅的力量，也有再造的力量。「只有她知道如何造火。她把火種藏在許多不同的地方。她常用來挖地的火把的末端，就像是她的指甲和手指。」於是，女性的身體逾越了人類學家和紀錄片攝影者所設置的界限，它是火的象徵，是大自然的象徵，是祖母、母親、女兒所延續的實實在在的生活傳統的象徵。崔明霞的這種「女性書寫」，一方面揭示了西方電影對非洲女性裸露着的乳房的「戀物癖」，另一方面又讓非洲女性的身體發出自己的聲音。各種形狀的女性乳房隨着身體的勞作而顫動，有着不尋常的韻律和節奏，這是舞蹈的美，音樂的美，力量的美，也是女性的美。美國女學者斯皮瓦克曾質問第三世界的女性會不會發出自己的聲音？崔明霞不僅讓非洲女性發出了屬於自己的聲音，而且讓這種聲音有別於她自己的越裔聲音，雖然她也來自於第三世界。於是，所謂「第三世界」是同一整體

崔明霞的電影屬於典型的「女性書寫」

的神話也不攻自破了。後來許多學者把崔明霞的作品看成是對傳統人類學的挑戰，並非沒有道理。

在《姓越名南》一片中，崔明霞採訪了五位背景不同的越南女性，讓觀衆看到越南複雜的國情和女性眞實的生活狀況，與美國及其他西方國家所想像的「越南」形成了一個有趣的對話。她把人類學家經常做的實地考察和訪問搬上舞台，請人扮演這五個被採訪者，扮演者被重新穿着與打扮，這一形式挑戰了傳統紀錄片中所講究的被採訪者的「眞實性」和「客觀性」。於是，「虛構」與「眞實」的界限變得模糊，講述者所講述的歷史不再包含絕對的眞理和權威性。而且，不只是被採訪者的客觀性被拷問，採訪者對客觀材料的處理製作過程也一樣被拷問。正像「我」在影片中所說的，「講述，改編，翻譯。從聽到錄音；從說話到寫作。你可以講，我們可以剪裁、編輯和梳理。」可以說，崔明霞在重新闡釋非洲或者越南時，沒有把它們看成是一個固定的被觀察的對象，沒有做它們的代言人，而是在展示第三世界的空間、人種、生活和歷史的同時，時刻檢視着自己的身份和位置，時時反思「誰在說話」、「從哪個立場說話」等問題。我非常欣賞她的這種自我反省的姿態，因爲這一姿態包含着一個知識分子與生俱來的批判精神和質疑的態度。

崔明霞來自越南的身份，使得她在觀察和表現「第三世界」文化時有一種特殊的眼光，這種眼光有別於西方人類學家的眼光，有別於男性的眼光，有別於白種女性的眼光，甚至也有別於同樣是「第三世界女性」的眼光。她並沒有把自己固定在「被殖民者」的位置上，而是選擇做一位漫遊者，在大漠的黑夜裏捕捉着火把跳動的影子，在迷人的鼓聲裏聆聽屬於大地的聲音，在被人遺忘的記憶裏尋找天使的足迹，在自己漫遊的旅程裏爲我們展示思想的快樂。

（原載於《讀書》二〇〇四年二月）

簡・坎皮恩：闖蕩好萊塢的巾幗大師

一

今年奥斯卡的最佳原創劇作奬頒給了一位不僅年輕而且才華横溢的女導演索菲亞·可波拉（Sophia Coppola），因爲她導演的電影《迷失譯谷》（*Lost in Translation*）成功地刻劃了都市人内心的孤獨、寂寞與荒涼。當索菲亞上台領奬時，我不竟想起

在簡・坎皮恩的編導生涯裏，一直關注女性的問題。

另一位曾經征服過好萊塢的女導演簡・坎皮恩 (Jane Campion)。一九九三年，簡以她的電影《鋼琴》(*The Piano*) 同樣獲得了最佳原創劇作獎。雖然這兩位女導演都非常出類拔萃，可是我個人更偏愛簡的作品，這大概是簡在她長期編導的生涯裏，一直都非常關注女性的問題。

簡實際上是新西蘭人，不過她一直被認爲是澳大利亞的女導演，因爲她是從澳大利亞開始她的編導生涯的。她早期拍攝的電影基本上都是些實驗性短篇，其中有一部實驗片還獲得過加納電影節的一個獎項，直到一九八九年，她的第一部電影故事片《小甜甜》(*Sweetie*)才正式問世。她的第二部電影故事片《天使在我的桌旁》(*An Angel at my table*, 1990) 贏得了二十多個國際電影節的大獎，其中包括威尼斯電影節的銀獅獎。雖然這兩部電影充分顯示了她出色的導演才能，可是由於它們只出現在藝術電影的流通渠道裏，很少人看過。一九九三年，簡的作品《鋼琴》得到好萊塢的青睞，使她成爲世界級的導演大師。可以說，《鋼琴》這部電影不僅爲女性導演爭得了巨大的榮譽，而且還標誌着藝術電影擁有潛力影響電影工業的主流意識，並可以獲得商業上的成功。在《鋼琴》之後，簡還拍了由亨利．詹姆斯(Henry James)的小說改編的電影《一個女人的肖像》(1996)，《聖煙》(*Holy Smoke*, 1999)及《剪輯中》(*In the Cut*, 2003)。不過，這幾部電影的影評皆好壞參半，甚至讓人感到簡的導演水平每況愈下，人們不由得開始懷疑簡是否已經失去了她早年的藝術原創力？她是否已經在商業電影的製作工業裏迷失了自己的方向？去年張藝謀的大片《英雄》出現後，人們也問過類似這樣的問題。的確，這是商品化社會中每個藝術家都必須面對的問題：藝術電影與商業電影到底有沒有一個清晰的界限？藝術電影是否能夠影響商業電影工業的主流意識？還是最終逃不出被這一主流意識所吞噬的命運？

二

除了簡早期的藝術短篇，她八九年後拍攝的電影故事片我幾乎都看過。說實在的，我雖然也喜歡《鋼琴》，但是最喜歡的還是她早年導演的《天使在我的桌旁》。這部電影好像有一股神祕的力量，一下子就能觸及到我的靈魂，讓我隱隱感到震撼；我相信它也像一束明光，能夠照亮許多人心中黑暗的角落。

《天使在我的桌旁》是由新西蘭最有名的女作家詹內特．弗蕾姆 (Janet Frame) 的自傳體小說改編的。詹內特．弗蕾姆的三卷本自傳體小說分爲三部曲——《到島上去》(*To the Is-Land*)、《天使在我的桌上》(*An Angel at My Table*) 和《來自鏡子城市的結語》(*The Envoy From Mirror City*)。這位傳奇性的女作家，生於一九二四年，直到今年年初才去世，享年七十九歲。她得過許多國際文學大獎，其一生所有的作品，都在探討語言與「眞實」的關係，都在質疑傳統概念中的「現實」。《到島上去》有這樣的一段話，足以概括她小說的特點：

> 從第一個流動的黑暗的地方出發，在第二個充滿空氣與光亮的地方，我記錄下一些混合的事實、真理與關於真理的記憶，它們的方向是通往第三個地方，而這個地方的起點是神話。

不錯，她的寫作方向就是朝着「第三個地方」挺進的。這第三個地方，像是大自然的循環，也像是生命的本體，更像是充滿奧秘的大虛空的宇宙，它與我們人類的命運到底有哪些息息相關的聯繫呢？它是眞實的還是虛構的？是語言的還是現實的？如果詹內特的小說一直在探索這個問題，那麼她的一生更是在語言與現實中不斷地尋找自我。

簡的電影基本上按照詹内特自傳體小說的格局，也分爲三部曲，生動地勾勒了這位天才女作家的一生。第一部講述詹内特的童年。她出生於新西蘭一個貧窮的鐵路工程師的家中。雖然家境貧寒，可是一家人都熱愛詩歌和小說。在這種家庭環境中成長的詹内特，對語言有着天生的敏感和興趣，從小就從事寫作。後來，她的姊姊和妹妹先後溺水而死，給她帶來了精神創傷。

第二部講述詹内特的青年時代，也是她一生中最黑暗的時代。上大學後，詹内特變成了一位極其害羞、不善交際的女孩，只懂得生活在自己的寫作中。沒想到，她的害羞與不安全感使她在別人眼裏成了一個「不正常」的女孩，大學裏的教授居然把她送去了精神病院。於是，她被診斷爲「精神分裂症」，從此在新西蘭不同的精神病院中被整整監禁了八年之久。被監禁期間，最可怕的噩夢是接受電療。她曾寫道：「他們給我新的電療方式，一下子我的生活失去了重心。我什麼也記不起來。我很恐懼。我的反應就像周圍的精神病人一樣。我學會了他們的語言，不僅說而且行動這種語言。我感覺絕對孤獨，沒有任何人可以對話……你被監禁着，你只能做被命令做的，就像那樣……我好像在那呆了一輩子。」她前後被電療了兩百多次，「那種恐怖與絕望的感覺就像被處死刑一樣。」多年過去了，仍然沒有人給她新的診斷，沒有人去懷疑最初的診斷。她生命中最黑暗的這幾年，唯一支撐她活下去的是寫作。電影中，她在被監禁的四壁上拚命寫，在那可怕的小屋中，寫作是唯一的火把，唯一的救星。她不停地寫，甚至出版了一本短篇小說集《鹹水湖》(*The Lagoon*, 1951)，還得了一個文學獎——胡勃特教堂紀念獎。幸虧有了這本得獎的小說，否則醫生差點就要給她做一個新發明的大腦手術，如果接受了這一手術，她恐怕再也不能成爲正常人了。離開精神病院後，她出版了第一本小說《貓頭鷹哭泣》(*Owls Do Cry*, 1957)，獲得國家文學獎金，於是決定去歐洲旅行。

第三部描寫了詹內特的新生。她去歐洲旅行了七年，眼界大大開闊，先後寫了十一本小說，並出版了詩集、散文集等，成爲新西蘭最有名的小說家。令人感到荒謬的是，她在英國期間，曾去神經病院檢查，那裏的醫生告訴她，她根本就沒有得過「精神分裂症」。就像她在小說《水中的臉》(*Faces On the Water*, 1961) 所描寫的：「我被放進醫院，因爲我與其他人所在的浮冰之間出現了一條巨大的裂縫，我看着他們漂走了，同他們的世界一起漂走了。」原來她所得的「瘋病」只不過是外部世界編造出來的，只不過她與常人不同，與世俗世界有距離。正常與瘋狂，取決於如何去定義它。於是女作家用她的語言重新定義自我；而她痛苦的經歷，讓我們看到她所生存的世界有多麼荒誕。電影也寫到詹內特在歐洲的一段短暫的戀情，雖然她從這段戀情中贏得了自信，但最終仍是失望的結局。最後，影片在她回到新西蘭時結束。

簡在電影中故意使用對比手法來塑造女作家。她一方面突出詹內特豐富的內心世界與超人的文學創作能力，另一方面卻強調她與外在世界格格不入：扮演詹內特的女主角有着一頭蓬亂的頭髮，無論怎樣梳理都沒有用——這暗示着她的「瘋狂」；女主角像一個樸實而羞澀的鄉下姑娘，對世俗世界充滿了恐懼感，帶點可愛的傻氣，既木訥又笨拙，不知如何表達自己，不知如何融入社會與人群。簡的女性意識在這部電影中是非常鮮明的：具有天賦的女作家是男權社會的受害者，男性無法理解她豐富的精神世界。比如，詹內特大學時代所仰慕的男教授，根本無法欣賞她的文學天才與特殊的個性，把她送進了精神病院。由於她與男性社會所認可的女孩形象差距甚遠，她就被歸類爲「精神病人」，成爲異類。不過，最後還是她的精神世界拯救了她，使她得到再生。當詹內特沉浸在自己的寫作天地時，當她極其羞澀地觀察着現實世界時，當她在精神病院裏被一次次電療後還不放棄對文學的追求時，我們看到的是一個天使的形象——天使在人間地獄中遭受煎熬，天使不被世人理解與接受，天使用善良而寬容的眼睛看着我們。當然，「天使」也代表着文學的精神：文學應該是黑暗中的一盞燈，能夠照耀人類的靈魂與精神世界，讓自我得以自救，讓人在絕望中看到希望。看完這部電影，我久久無法忘卻的正是女作家的那雙天使般的眼睛，還有她內心所感受的文學的神秘力量。這種文學精神與力量，在我們生活的後現代社會中卻變得異常陌生。人們都在匆忙地追逐着時尚時髦，還有誰去感受與擁抱它呢？當簡一步步走向好萊塢的夢幻工廠後，她是否也離「天使」越來越遠了呢？

三

令簡在好萊塢大放光彩的《鋼琴》是一部雅俗共賞的電影。不過，這部電影引起最大爭議的卻是：它是否是一部「女性主義電影」？有人讚賞簡大膽地表現了女性的慾望與情感，可也有人批評她把女性受虐的一面加以美學化，更有人批評她只是張揚了白人女性主義，而忽視了新西蘭本土的女性主義。我個人認爲《鋼琴》毫無疑問是一部女性主義電影，因爲簡有意識地在探討家庭空間裏的性別政治與女性的情感世界等問題。也許簡個人對「女性主義導演」的稱號並不感興趣，可是她的電影總是表現一位堅強的女性，表現這位女性如何大膽地反抗父權和男權社會對女性角色的規定。換句話說，簡是從女性的角度來講述女性的故事的。

《鋼琴》中的女主人公叫艾達，六歲時突然變成啞巴。影片開始出現的敘述聲音是艾達的聲音，但那聲音並不是來自她的喉嚨，而是來自她的思想。連艾達自己也不知道爲什麼她突然變啞了。我覺得「啞巴」隱喻着女性在男權專制的社會裏沒有自己的語言與聲音。然而，簡給了艾達一個表達她自己的工具——鋼琴。雖然艾達的父親把她像商品一樣「郵寄」給了她的丈夫，可是通過鋼琴，我們知道艾達有自己的主體，是一個內心相當豐富的藝術家。艾達與《天使在我的桌旁》中的詹內特有許多共同之處：她們都不善表達自我，不善於說男性創造的語言，與社會所認可的女性角色非常不同，但她們的內心世界卻都非常豐富，都能夠通過藝術或文學來表達自我世界；而且，她們都被社會視爲不正常、古怪與「瘋狂」。比如，艾達的丈夫見到她之後，甚至懷疑她除了啞以外，腦子也有些問題。很明顯，艾達與丈夫的關係揭示了十九世紀中期男女在家庭中的不平等地位。他的丈夫是個典型的白人殖民者，不僅「殖民」着新西蘭的毛利人，也「殖民」着艾達的女性身體。然而，他既不能與毛利人直接溝通，也不能與艾達溝通。首先，他不能理解艾達對音樂的熱愛，拒絕把鋼琴搬到島上的家中。其次，他的鄰居貝尼斯要用土地與他交換鋼琴時，他沒有意識到那是妻子的財產，在他眼裏，妻子也是他的財產之一。當貝尼斯把鋼琴送還給艾達時，丈夫想的第一件事不是艾達的感情，而是他的土地。後來知道艾達與貝尼斯之間的情人關係後，他把艾達監禁起來，不給她自由。最後，當他拿到艾達給情人的證物——鋼琴鍵，便惱羞成怒，把艾達的手指殘忍地剁了下來。他一直都沒有辦法進入艾達的內心世界，不能欣賞艾達獨特的鋼琴語言，不能尊重艾達的意志與願望，只是把艾達看成一個附屬於他的客體。

如果艾達和丈夫的關係比較容易從女性主義的角度解釋，那麼艾達和她的情人貝尼斯的關係則比較曖昧，因此也引起許多爭議。貝尼斯也是一個白人殖民者，他利用土地與艾達丈夫交換鋼琴，並要求艾達給他上鋼琴課，他的眞正目的是爲了接近艾達。爲了能夠撫摩艾達的身體，他拿琴鍵作交換，所以他們之間初始的關係也是不平等的。許多女性主義批評家對這一情節提出批評，認爲簡把女性身體商品化了。艾達最後沒有選擇與鋼琴一起沉入海底，而是選擇與貝尼斯一起過幸福生活，這也同樣引來爭論。有的批評者認爲簡最後應該給艾達一片想像的土地來自由地表達自我，以表述她對藝術的熱情和她在藝術中的自我滿足感，而不是又被家庭所束縛。我覺得這些批評都過於苛求簡，實際上簡關心的並不是簡單的性別政治，而是男女之間的溝通甚至妥協的情感。

不同於艾達的丈夫，貝尼斯懂得毛利語，並像毛利人一樣，在臉上畫了圖騰。艾達的丈夫一點都無法理解艾達，而貝尼斯雖然是個文盲，卻彷佛聽得懂艾達的琴聲，並深深被她所吸引。愛上艾達後，他把鋼琴無償地還給艾達，不需要任何土地的交換。即使最後艾達失去了她珍貴的手指，他也一樣尊重她、滿足她，爲她裝上一個鐵的手指，讓她依舊能夠生活在音樂世界裏。最重要的是，通過鋼琴，通過音樂，他逐步進入了艾達豐富的內心，他能夠聽懂艾達，能夠欣賞艾達。眞正愛上艾達後，他珍惜她的藝術天賦，不管有多危險，都要把鋼琴運回去。也許影片開始時，貝尼斯和艾達的地位並不平等，但是隨着故事的發展，他們最終開始了男女之間平等的溝通與愛戀。這大概正是簡所追求的：她追求兩性之間平等、和諧與相互交流的關係。

影片結尾，簡沒有選擇與鋼琴同葬海底，實際上這一結局體現了簡試圖改寫「歌德式」小說中瘋婦的形象。「歌德式」小說中的瘋婦們，不是生活在陰森的閣樓上，就是選擇自殺與死亡，以此作爲對男權社會的反抗。但是簡改寫了這一結局，讓「瘋婦」從絕望中解脫出來，重新回到生活，尋找到新的自我與新的聲音。在她與貝尼斯的幸福家庭裏，艾達開始學習說話，學習用鋼琴以外的語言表達自我。雖然艾達沒有像凱特．蕭邦小說中的女主角在覺醒後自沉於海底，可是她選擇新生活的行爲本身同樣也是一種反抗的方式。只是男性專制暴力的陰影還存留在她的身上，那隻鐵手指就是證明，她在夢裏，還時時看到自己與鋼琴懸在海底的樣子。可以說，簡對這一結局的處理，在某種程度上也是一種妥協的姿態。這一妥協的姿態，既成就了藝術電影與商業電影的結合，也使男性與女性之間的戰爭變成一種協調式的平和。

簡在《鋼琴》中試圖找到屬於女性的攝影語言：艾達與鋼琴之間特殊的關係，艾達與女兒溝通時使用的獨特的手語，母女倆在海邊、在鋼琴旁忘情狂歡時的景象，艾達剛毅地看着鏡頭的目光，她那沒有被當代時尚修改過的髮式，還有大海與女人之間的聯繫等等。這些語言構成了其他電影所沒有的女性電影語言。電影中有許多畫面令人難忘，我至今還記得這樣的一個鏡頭：當艾達與女兒剛到島上時，她們搭起一座白色的小帳篷，裏面有微弱的光，周圍是黑色的夜晚和波濤洶湧的大海，還有裝着她們過去生活記憶的行李。那個鏡頭彷佛暗示着女性充滿危險與艱辛的命運，而那微弱的光就是艾達堅強不摧的意志。

四

簡後來拍的幾部影片都無法像《鋼琴》那樣成功，不僅藝術水平下降，票房成績也一般。一九九六年上映的電影《一個女人的肖像》根據亨利．詹姆斯寫於一八八一年的同名小說改編，由著名女星妮可．基德嫚(Nicle Kidman)扮演。許多影評家不喜歡簡在影片開頭所加的那段現代女性對「浪漫」的遐想，認爲這一外加部分破壞了原來小說的完整性，我不太贊同這種指責，倒覺得「遐想」的安排具有簡自己的電影語言特色，多了一個「參照系」來看待「浪漫」的含義。

就像簡其他電影的女性一樣，女主人公依塞貝爾是一個很有主見、意志堅強甚至有些固執的女孩。她一開始就拒絕富有公爵的求婚，這不奇怪，她對世界充滿好奇心，不想一下子被婚姻困住。她說：「我也許永遠都不結婚。」愛戀她的表哥非常理解她，甚至勸父親臨死前留給她一筆可觀的遺產。可是不久，她就落入「浪漫」的陷阱，嫁給了別有用心、極端自私的歐斯門德。婚後，她很快察覺到丈夫的虛僞、自私與佔有慾，內心非常失望。就像《鋼琴》中的丈夫用暴力手段來壓迫艾達，依賽貝克的丈夫也用一些暴力行爲試圖控制她的意願。最後，她不顧丈夫的阻撓，離開家去探望病危的表哥。電影結束時留給觀衆一個懸念：依賽貝爾徘徊在家門前，她是重新尋找新的愛情和新的生活，還是回到那牢籠般的婚姻裏？這一結尾確實顯示了簡曖昧的一面，我覺得如果她讓女主人公更加堅定地像娜拉那樣出走也許會更好些。

如果說，在《鋼琴》裏簡對女性的慾望持的是肯定的態度，比如艾達的慾望被情人喚醒後，大膽地反抗監禁她的丈夫，那麼《一個女人的肖像》則揭示了女性慾望被喚醒後所面臨的困境，依賽貝爾就是被慾望引入可怕的家庭牢房裏，無可逃遁。簡似乎想對男女之間的「浪漫」進行更加複雜的闡釋；相對於《鋼琴》，這部電影可以稱爲是一部「反浪漫」的電影。只可惜簡還不夠大膽，在改編原著時並未加入更多的屬於她自己的電影語言。

《聖煙》也是一部「反浪漫主義」的電影，具有喜劇與反諷的色彩。《鐵達尼號》中的女演員凱特．溫斯蕾(Kate Winslet)出演此片的女主角。就像簡的其他影片，「瘋狂」與「監禁」的主題再次出現。女主人公路絲去印度旅行後，信了其中的一種印度教，並宣佈要與教主結婚。父母得知後，把她騙回新西蘭的家中，高薪聘請一位專業人士來替她「洗腦」與「驅魔」。路絲被監禁在沙漠中的一個小屋，與這位男性驅魔師開始了很有意思的較量。當然，他們之間的較量也是男性與女性之間的較量。最後，路絲誘引驅魔師與她發生性關係，並且愛上她，因此使整個「驅魔」行動計劃失敗。如同《天使在我的桌旁》中的詹內特被他人認爲是「精神病人」，《鋼琴》中的艾達被丈夫認爲腦子有病，《聖煙》中的路絲也被家人認爲得了一種可怕的「病」，需要請人治療。但是，反諷的是，來治「病」的驅魔師最後反而被路絲豐滿的肉體所誘惑，從一個強硬的「統治者」的角色轉化到柔弱的「被統治者」的角色，從驅魔者轉爲被路絲的「魔力」所附身。《聖煙》裏有一個片段很有趣：當路絲不想再羞辱他而出走後，驅魔師來不及脫下路絲戲弄他穿上的女裝，在沙漠上散魂失魄地尋找路絲，最後癱倒在沙漠上，眼裏出現路絲成爲印度教女神的幻覺——在此，簡的反諷意味達到了極致。雖然《聖煙》不失爲一部有意思的影片，可是還是有許多不盡人意的地方。比如，路絲有「精神追求」的一面確實與她周圍的家人和親戚「行屍走肉」的一面形成鮮明的對比，不過，簡好像對這種精神追求也並未加以肯定，印度教在此片中一樣被諷刺與批評。路絲最後又回到印度繼續她的精神之旅，但是整個電影還是沒有提供給觀衆一種靈魂和精神的歸宿感，不知簡想傳達的精神信息到底是什麼。再加上簡在喜劇與浪漫劇——兩種不同的風格中搖擺，讓觀衆有點不知所從，既笑不出來也浪漫不起來。

我還沒有看到簡最新的影片《剪輯中》，不過已經有影評認爲這是她從影以來最失敗的一部電影。我不想去看，想保留一些對簡的好印象。不過，越看簡的影片，我就越懷念她的《天使在你的桌旁》給我的那種美好的感覺。我想簡面臨的困境是一種無所適從的困境：她是繼續追求藝術電影，還是投合大衆的趣味、屈服於市場？《鋼琴》成功地結合了二者，可是又能有多少這樣的作品問世呢？

在電影《聖煙》中，有這樣的一句台詞：「靈魂是什麼？靈魂就像是這火柴上的火焰，它能夠照亮我們的道路。」可惜我們從《聖煙》中並沒有看到那火焰的光芒。但願簡能夠再次找到這種光芒，找到她的新方向，不再徬徨與迷失。

二〇〇四年三月於馬里蘭

白薇：掙脫身體牢房的左翼女性

最近在網上鬧得沸沸揚揚的「木子美現象」，把世紀末女性的「身體寫作」推向了極端。然而，從肉欲橫飛的文字裏我只看到了這類寫作者荒蕪虛空的心靈。當木子美們毫無顧忌地暴露隱私、暴露性生活時，女性的慾望和身體成了遊戲人生社會的弄潮武器，而女性的自尊、女性豐富的心靈卻成了被嘲笑的對象。然而，同樣也是暴露隱私，同樣也時時書寫自己的身體的白薇，卻是另一種故事。她寫於一九三六年的《悲劇生涯》，恰恰是用心靈在寫作，用自己的全生命在寫作。

我是含着淒淚，抱着痛楚，在疾病拖疲了身體後，在病篤危險中，躺在病床，稿子擺在膝上，墨水瓶掛在頸上寫的。有些是在三等病房裏，高燒退去時勉強坐在滿房是人的病床上寫的。也有些是在臨去開刀的數小時前，掙扎生死垂危的一口氣寫的。

這就是白薇的身體寫作。她的所謂身體，並非只有慾望的軀殼，而是全生命，蘊藏着不屈靈魂的全生命。比起衛慧在《上海寶貝》中寫到的年輕女作家邊寫作邊手淫的情景，實在是天差地別。《悲劇生涯》這部長達九百多頁的長篇小說是她自一九二五年到一九三五年痛苦愛情的記錄，是一部自傳性的小說。她之所以寫這樣一部暴露隱私的小說，主要由於她從男朋友——詩人楊騷那裏染上了淋病，多年來一直無錢醫治，常常受着病體的折磨，於是非常需要這部書的稿費來支付昂貴的醫療費；還有一個原因是，她深怕「書不成身先死」，沒有辦法把自己的「眞相」寫出來，而楊騷趁她在重病之中，改寫她的日記，已有了另一個版本。在《悲劇生涯》的序中，白薇寫道：「說法，看法，既然各種各樣，那麼，到底那些才是她底眞相呢？在這個老朽將死的社會裏，男性中心的色彩還濃厚的萬惡社會中，女性是沒有眞相的！」爲了揭開自己的「眞相」，白薇不惜大量地引用自己多年的日記、書信，暴露自己的愛情生活、性生活，暴露自己的淋病，暴露自己貧窮、艱苦而孤獨的人生。可是，她的這種暴露，並沒有任何「身體」上或性的快感，而是像墨西哥的女畫家費麗達一樣，把女性身體的痛苦解剖給觀衆——血淋淋的，布滿令人震驚的傷痕，在撕心裂肺的苦楚中讓讀者讓觀衆去理解她們悲哀的靈魂。讀者看到的，自然也不僅是身軀之傷，而是令人揪心慘目的靈魂之傷。

說實話，比起現代文學史上的其他著名女作家，如張愛玲、丁玲、蕭紅等，白薇算不上是一位成績卓著的小說家。就拿她的《悲劇生涯》來說，其文字、結構和敍述手法，都顯得很粗糙、很幼稚。她和楊騷十年的戀愛糾葛總是以同樣的模式重複出現，反反覆覆，雖然洋洋灑灑九百頁，可是許多細節非常雷同。男主人公展（楊騷的化身）是個極不負責任的浪漫詩人，每每在愛女主人公葦（白薇的化身）的同時還與別的女人廝混。把淋病傳染給葦之後，常常置她於病中而不顧，依舊在外面尋花問柳。葦雖然早已看清展的本質，可是卻一次次地陷入情網，無法自拔。同樣的癡迷，同樣的怨恨，同樣的爭吵，同樣的負心，同樣的寬恕，同樣的醒悟，同樣的不可自拔，一次又一次，反覆循環，讓讀者感到乏味。不過，在這反覆的情節裏，白薇卻寫出了一個「眞實」的自我，一個離家出走的娜拉面對社會、面對愛情、面對革命所遇到的生存困境與心靈困境。

白薇自己就是一個典型的「娜拉」。她從小出身於父權十足的家庭，在父母逼迫下很早就出嫁了。被丈夫和婆婆百般虐待後，毅然出逃，做了一個勇敢的「娜拉」，隻身留學日本，陷入痛苦的戀情，回國後參加武昌革命和一些進步文學團體，不幸從楊騷那裏染上性病，從此受着無休無止的病痛的煎熬。如果魯迅在《傷逝》中提出的是「娜拉出走後怎麼辦？」的問題，那麼白薇在《悲劇生涯》中則以自己的親身經驗切實地做出了回答：

> 這篇東西，是寫一個從封建勢力脫走後的「娜拉」，她的想向上、想衝出一切的重圍，想爭取自己和大眾的解放，自由，不幸她又是陷到什麼世界，被殘酷的魔手是怎樣毀了她一切，而她還在苦難中掙扎，度着深深地想前進地長長的悲慘生活。

雖然《悲劇生涯》是一部關於「私人生活」的女性自傳體小說，可是正如白薇自己所指出的，它同時也是「時代產兒的兩性解剖圖」。白薇基於自己的親身體驗，不僅對五四以來的「個性解放」、「愛情解放」提出質疑，而且對五四之後的革命也同時提出了質疑。離家出走後的「娜拉」，很快就發現愛情不是出路，革命也不是出路。在那個時代裏，以寫作作爲職業的女性，到底有沒有出路？在閱讀的過程中，我發現白薇的寫作常常「歇斯底里」，彷彿在寫「女狂人日記」，週遭的一切都變得陰冷而恐怖，愛人棄她於不顧，而她曾參與過的革命也一樣棄她於不顧。從小說一開始，她就常被留學日本的同學們稱爲「怪物」，沒有任何人眞正理解她——父母不理解她，情人不理解她，朋友不理解她，革命文藝團體的戰友們不理解她，醫生也不理解她。她總是歇斯底里地自說自話，歇斯底里地與情人爭吵，歇斯底里地在工作中與同事們衝突，歇斯底里地面對自己的病痛。到小說結尾，她在貧窮、孤獨、絕望中，好像完全變成了一個「女狂人」：

她猛對桌上一拳，撕破書和衣服……

狂眼凸出，拳拳擊胸……

瘋瘋擺擺，拳拳搥腦……

揑住頭髮，髮絲一把把扯下……

大笑，跛走，眼光四射……

白薇的最後一章題爲「她的笑」，寫了無數的笑：她苦笑、冷笑、狂笑、大笑、暴笑、寂笑、慘笑、哈哈笑、一路笑、不能制止的笑、無聲的笑、淒慘而悠長的狂笑、接不上氣的笑，「她猛烈的狂笑，狂笑，幾十個哈哈連續着，邊笑邊狂跳狂擺，抽抽顫顫骨髓中的傷痕都被笑了出來。」很清楚，白薇這個出走的「娜拉」，想把「寫作」作爲人生避難所，但是，她最後發覺這裏也無可逃遁，於是，她又把這個避難所撕碎給人們看，一片一片撕碎時，還發出從心底冒出的古怪的、可怕的笑聲。

這些歇斯底里的笑聲和歇斯底里的語言構成了白薇獨特的女性寫作。米契爾·福科（Michel Foucault）在《性史》中曾極其簡略地提到過「歇斯底里的女性身體」，但並沒有多加論述。而女學者伊麗莎白·格絡絲（Elizabeth Grosz）則尖銳地批評福科忽視了「歇斯底里的女性身體」，因爲它可以成爲女性對抗社會的一種策略，它能夠挑戰社會和文化對女性所規定的角色。的確，白薇就是把「歇斯底里的女性身體」作爲一種話語策略來對抗男性中心的社會的。在反對傳統觀念對女性的壓抑時，她歇斯底里；在感嘆自己的身體無法正常地戀愛、正常地工作、正常地生活時，她歇斯底里；在嚮往革命而沒有資格革命時，她歇斯底里。可以說，她在歇斯底里中挽救着自己，以不被外界的黑暗所吞噬。對我來說，《悲劇生涯》最有意思的地方，就在於白薇「歇斯底里的女性身體」。這一身體滿是創傷，有如殘骸，徘徊於腐爛和死亡的邊緣。但是，作爲一個進步的左翼女作家，她並沒有爲了革命目標而把自己的病痛置之度外，倒是把個體的無助與群體的亢奮加以對照，以至把自己的身體與她所嚮往的革命對立起來，與快速前進的現代性對立起來。一面是「時代巨大的輪子飛滾着，無數引擎車輪的人海、人群，勇敢地、高呼着、前進、前進」，一面是她染了性病和「時代病」的身體，「倒在床上像一具殭屍」。她寫道：

……前進的全體，是顧不了躺在死線上的病人的。團體好像一陣遠飛的雁群，把病得飛不了的她丟在後面，不管她落在平沙或落在湖沼裏。

時代的巨輪，搖紗間的小輪中輪，巨輪小輪中輪，一晃一閃地相輝映，軋軋軋飛滾，飛滾，使她看得眼花，頭暈，哈哈笑，淚涔涔，哈哈笑，淚涔涔……

革命是偉大的，時代的巨輪是偉大的。然而，革命除了關注「全體」、「團體」之外，是不是還要關注生命「個體」？這正是白薇殘敗身體對「時代的巨輪」

的一種深刻的懷疑與叩向。當其他左翼文人都在拚命地追逐進步與革命，她卻被自己的身體所囚禁——而這一身體又何嘗不是「現代性」的產物？就何嘗不是革命應當關心的對象？「戀愛的苦悶，病的苦悶，時代的苦悶，構成她這部多色多樣的悲劇，壓在她身上。她微弱的軀體，怎能敵得住那波濤洶湧，奔馳而來的大悲劇呢？」十年來，她經歷了「愛的春風」、「革命的春風」、「文藝勃興的春風」，但是這三重春風吹到白薇的身上卻變成了「三重厲雨」、「三重絕望」。她的身體先是被父親出賣，然後又被情人出賣，最後又被革命的團體拋棄——所有這些痛苦的身體經驗，讓她獲得了一種眞正屬於女性的視角來看待五四時期宣揚的「個性解放」，革命文學時期宣揚的「革命加戀愛」，以及更加進步的無產階級文學等等。

這一視角恰恰是左翼的男性作家所缺乏的。比如普羅文學的先驅者蔣光慈，在其小說《衝出雲圍的月亮》中曾塑造過一個新女性王曼英。大革命失敗後，王曼英淪爲妓女，可是仍然不失革命精神。當她得知自己可能染上性病後，便決定把自己的身體當作武器，報復資產階級，於是專門跟資本家、買辦、官員睡覺。直到遇到愛戀自己的工人階級的領導人時，她才醒悟自己以前犯了個人主義和無政府主義的錯誤。即將重新加入革命隊伍時，她突然發現自己並沒有性病——精神變得高尚後，身體也變得純潔了。在蔣光慈的筆下，女性的身體只是傳達意識形態的工具，作者根本無法理解女性身體的痛苦和心靈掙扎。

茅盾在《蝕》也塑造了一些性感的革命女性，如孫舞陽和章秋柳等。章秋柳為了拯救頹廢的同仁史循，居然不惜犧牲自己的身體與之同居，史循死後，她住進醫院檢查有沒有從史循那裏染上梅毒。雖然最後在醫院裏，俏媚的章秋柳的笑已帶了些苦澀，可是她仍然不失浪漫與幻想的色彩，仍然要追求不平凡的人生。在《追求》中，茅盾顯然是用章秋柳的身體來傳達他在大革命失敗後的焦慮、頹廢和徬徨，但是他無法像白薇那樣深刻地理解革命和戀愛給女性身體帶來的痛苦。

白薇在她的長篇小說《炸彈與征鳥》裏描寫了一對姊妹花。妹妹彬放棄革命而淪為交際花，姊姊玥放棄愛情而選擇革命。不同於王曼英、孫舞陽和章秋柳等充滿浪漫色彩的革命女性，玥投身革命後，才發現女性的命運在革命中依舊是漂泊不定而沒有皈依的。當玥被組織安排，以自己的身體來引誘某部長，最後反而在一個風雨交加的夜晚被他強姦，這之後，玥的身體和精神幾乎到了崩潰的邊緣，所有崇高的為大衆的理想一下子都失去了它們的意義和光環。在白薇的寫作裏，她最關心的是女性眞實的感受，揭示的是女性自我與社會規定的女性角色之間的矛盾。玥成為革命的工具後，她對自己的異化，對自我的迷失，深深地感到痛苦與失望，不像王曼英那麼浪漫地對待自己的身體——彷彿身體只是一個感覺不到痛苦的純粹的革命武器。

女性的身體賦予了白薇獨特的女性書寫。在《悲劇生涯》裏，白薇不厭其煩地提到她病痛的身體：她曾得過鼻炎、腹膜炎、傷寒症、胃炎、丹毒，還有就是令她痛苦不堪的淋病。整部《悲劇生涯》充滿了病、醫院、垂死掙扎的景象。可以說，她對這些病的絮絮叨叨和重複性的描寫，只是再一次證明了她的「歇斯底里」的身體徵候。在魯迅著名的小說《藥》裏，病象徵着病態的中國，是一種隱喻的敍述策略；而在白薇的筆下，病着的身體，尤其是有性病的身體，則是她每日必須面對的現實。於是，她非常詳細地記錄下每天對性病的自我療法，病發時的苦痛，到處借錢時的尷尬，沒有錢付房租、醫藥費、住院費及伙食費時的無奈；也詳細地記錄下朋友們一點一滴的幫助與支持，情人的無情與負心，勢力小人的白眼。所有生活的艱難，所有娜拉出走後必須面對的困境，她都通過病痛的身體實實在在地表現出來，沒有半點虛假。雖然她對革命和愛情有着熱烈的嚮往與憧憬，但那浪漫的色彩都被病痛的身體無情地粉碎了。身體就是她的現實，身體就是她的一切希望與絕望。當最後有一位醫生建議她摘除卵巢時，她因爲卵巢對女人的生理、心理及神經都很重要，而拒絕動手術。「假如割掉了卵巢，就沒有情熱，沒有慾望，沒有野心，沒有一切的希望了。但這些情熱、慾望、野心、希望，就是我最重要的生命。」卵巢——女性的特徵，是白薇不願割捨的，即使這意味着她將永遠被囚禁在病痛的身體裏，即使這意味着她將永遠歇斯底里，永遠不被他人所理解。總之，我們在白薇的悲劇裏，感受到的人間困境，不是一般一處的困境，而是愛情、寫作、革命全都無法拯救的困境。在此絕境之中，她實際上提醒我們是否要尋找自救的可能。這也許正是《悲劇生涯》的意義。

女人有沒有眞相？白薇其實早已做出了回答：她的身體就是她的眞相。在殘骸般的身體裏，她仍然是一個自強自立、心靈豐富的女性，她仍然有情慾，有追求，有理想，有創造，她的心靈、生命和她的身體是密不可分的。這一飽受病痛與戀情折磨的身體，是她的情人楊騷所無法編造與篡改的，也是左翼男性作家所無法模仿的，更是任何意識形態所無法控制的。它不承載任何他人的語言，也不承載任何男性的語言，它只屬於白薇式的獨特的女性寫作。

寫於二〇〇三年十二月

朱天文：遠方的極境眼睛

最近台灣女作家朱天文來到華盛頓的作家協會演講，題目是「來自遠方的眼光」。我一直很喜歡她的小說，因爲她有一種特殊的才情，把光怪陸離的世紀末台灣都市描寫得玲瓏剔透。她的文字華麗得近乎奢靡，而唯有這種文字，才能勾勒出一個藝術的、美學的、頹廢的「色情烏托邦」。作爲胡蘭成的弟子，她的行文間不免胡腔胡調，但並不造作，這也是一種本事。

她的小說雖然有「吊書袋」之嫌，可也足見她平日閱讀之博。作為小說家，她居然熟讀我們這些學院派讀的理論書，如福科的《性史》、本雅明的《發達資本主義時代裏的抒情詩人》、李維史陀《遠方的視角》、薩依德的《知識分子論》等等，這一點讓我很佩服。她的電影理論知識和美術史知識也很豐富，還曾經為侯孝賢的電影《悲情城市》、《好男好女》和《海上花》做過編劇。以前跟李陀叔叔談起中國當代作家，記得他批評過許多作家的知識準備不夠。他說寫小說也跟彈鋼琴一樣，沒有任何捷徑可言，是一級一級往上提高的，也要經過每日的苦練與積累，讀的書不夠多就不能成為大家。這點我很同意。當然，有的作家不讀理論書，是怕失去生活的直覺，怕理論先行。我覺得朱天文就處理得很好，她懂得如何把理論和哲學情感化。

這次她來華盛頓演講，我正臨近分娩之際，錯過了機會。不過她在Boulder的演講，似乎也是同一個題目——「來自遠方的眼光」。我在當地報紙上讀到了她的講稿，覺得她找的這個角度很好，因為作家看世界是需要有獨特的視角的，她談的恰恰是「看」的多種方法和可能性。她先從李維史陀的人類學家的眼光談起，從遠處看自己所屬的社會。其實，她最近的小說都是以這種眼光截取生活的片段的，站在距離之外，帶點冷漠，顯得老練而蒼涼，文字雖然嫵媚妖嬈卻只是一個極盡唯美的姿態。然後，她談到侯孝賢的《海上花》也是採取這種「看」法，突出故事的前景而淡化戲劇性，這樣確實能把晚清狹邪小說中頹廢的美學「mannerism（姿態）」表現出來。

我更感興趣的是她所談的「荒人的眼光」。她引用艾略特的詩：「我是拉撒路（Lazarus），來自死境／我回來告訴大家，把一切告訴大家。」對於她而言，這「荒人的眼光」依舊是來自遠方的眼光，只不過，這次越發的遠了，是來自死境，來自常人無法觸及的深淵。她認爲，《荒人手記》中，死境的暗示也許可以是人的慾望的深淵，無法探視的深淵。而作家就應該有勇氣去一探死境，把在那裏看到的告訴大家：「回來的人，他將『同時以拋在背後的經歷，和此刻面對的情況，這兩種方式來看事情，他有這雙重視角（double perspective）。』回來的人，他知道邊境在哪裏。邊境之內是什麼，跨出邊境之外又是什麼。他知道，最大的張力都發生在邊境上。那些曖昧不明、自相矛盾、多重性、歧異性，一切的參差對照，都在邊境上發生。回來的人因深知邊境的界限在哪裏，知道多深，他去觸犯那界限的量度就有多深，他所發動起來的力量就也有多深。」

這荒人的眼光彷佛是從張愛玲的「蒼涼的手勢」中衍化而來的。雖然朱天文講的是看的方式，實際上是在談她小說後面的哲學意蘊。好的小說後面往往都有哲學內涵或哲學方式支撐着。我想，荒人的眼，就是那種隱藏於字面意義之下、隱藏於行爲舉止之間、隱藏於「言在此而意在彼」的東西。它是作家的第二視力，是朱天文對世界終極意義的思索與把握。

除了選擇邊境、死境的視角，她還選擇薩依德所說的「業餘者」的視角。因爲業餘者可以衝破專業的束縛，擺脫專業的有限眼界和權力的壓迫，回到單純的喜愛與關懷中，恢復事物的初始性和獨特性。在高度資本主義的專業分工和分割下，業餘者擁有自由的空間和周轉的餘地，以避免成爲機械的奴隸。在這一點上，朱天文看到業餘者的眼光與本雅明的理論是互相呼應的，因爲，本雅明早就看到高度資本主義的商品時代，藝術已失去了它的原創力，失去了原本的氣味（aura）。本雅明的「遊手好閒者」的角色就是薩伊德的業餘者的角色，「遊手好閒者」同完全被機械化了的芸芸看客不同，他有一個「回身的餘地」，他通過在擁擠不堪的人群中漫步，「展開了他同城市和他人的全部的關係」。這正如朱天文所言：「業餘者的眼光，他是薩依德的。加上人類學遠方的眼光，他是李維史陀的。加上荒人的眼光，他是本雅明的。這些聚集起來的眼光，賦予它一個具體形象，它會是，『發達資本主義時代裏的抒情詩人』。」

從朱天文聚集起來的這些眼光中，可看到她把理論詩化、情感化了，看到她選擇的所有「看」的角度，都是爲了把她自己的個人經驗從傳統和世俗的世界中分離出來。她是一個孤獨的人，或者說她特意選擇孤獨，特意把自己的感覺建築在廢墟上，建築在虛無中，建築在死境裏。這樣的選擇，使她在機械化的、重複性的後現代商品社會裏，還能夠堅守自己清醒的意識，還能保留本雅明所說的個人世界裏的「氣息的光暈」，不讓它被專業分割，被典範限制，被商品淹沒。

這些聚集的眼光，追求的是本雅明給波德萊爾的定義——「他的詩在第二帝國的天空上閃耀，像一顆沒有氛圍的星星」。荒人的眼也是沒有氛圍的星星，是虛無，是幻滅，在荒蕪的沙漠化的都市文化裏一無所依，但是，它卻是文明崩潰前的見證人。

這些聚集的眼光，具有現代主義的核心精神，同時也是世紀末的啓示錄。它像艾略特最著名的詩作《荒原》一樣，表現出現代世界的巨大呆滯和混亂，以及生活在「荒原」中的空虛的人的恐怖；它像貝克特的《莫非》一樣，認爲虛無就是最眞實的存在；它像托馬斯・曼的《魔山》一樣，發出尖利的解體警告；它像二十世紀所有的重要作品一樣，表現出失去宗教信仰的當代人的絕望感和無家可歸感。

同樣有「荒涼的手勢」作爲書寫的大背景，相比之下，張愛玲顯得世故。正如王安憶所說的，「張愛玲是站在虛無的深淵邊上，稍一轉眸，便可看到那無底的黑洞，可她不敢看，她得回過頭去。她有足夠的情感能力去抵達深刻，可她卻沒有勇敢承受這能力所獲得的結果，這結果太沉重，她是很知道這分量的。於是她便自己攫住自己，束縛在一些生活的可愛的細節上，拚命去吸吮它的實在之處，以免自己再滑到虛無的邊緣。」（王安憶《漂流的語言》，作家出版社，一九九六年，四六三頁）朱天文則鼓勵着自己走向深淵，走向死境，回來給當代人一個警告，所以她的小說《荒人手記》不乏「警世之音」：

我站在那裏，我彷彿看到，人類史上必定出現過許多色情國度罷。它們像奇花異卉，開過就沒了，後世只能從湮滅的荒文裏依稀得知它們存在過。因為它們無法擴大，衍生，在越趨細緻，優柔，色授魂予的哀愁凝結裏，絕種了。（朱天文《荒人手記》，時報文化出版公司，一九九四年，六十

五頁）

然而，朱天文並未提供眞正的救贖之路。她自己選擇居身於書寫中。通過書寫，通過建造頹廢美學的書寫，她發現了自己存在的意義。但這頹廢美學的書寫達不到眞正的救贖，如黃錦樹所評論的，「《荒人手記》中的『救贖』也只不過是一種詩意的詠嘆」，是不完全的，是一種無奈。朱天文生活的年代是世紀末，不像西方現代主義所處的二十年代仍然是藝術和自由擴張的時代，仍然是爲書寫的創造性歡呼雀躍的時代。朱天文的時代注定了她的孤獨，注定了她的頹廢美學只能是自我欣賞、自我救贖、自我修行的一種姿態，這裏其實充滿了悲劇性。

我對她所說的這些凝聚起來的眼光有一種認同，可能跟我生性淡泊有關。我也是愛從遠距離看社會，對人生也有一種悲劇感，也願意不顧孤獨地生活在書寫中。不過，如果我寫小說，大約很難像她那樣，把頹廢美學當作唯一的救贖之路。我更願意像意大利現代小說家朱塞佩・博納維利在《撒拉遜人的故事》的後記中所說的，通過故事重新找到與故鄉親友和母親在感情深處的聚會點。我將會把書寫看作是對希望的一種永恆追求，看作是與不同的心靈聚會的場所，看作是生命之間互相感動的方式。

如果我們認爲《荒人手記》是一部寓言作品，我們也必須考慮它的語境。王德威老師把它與「狂人的眼」做了一個比較：

她的荒人在鑽營同志情慾的過程中，已以最不可能的形式，又一次質詰了魯迅狂人當年的國家慾望。從革命同志的情寫到愛人同志的情，現代中國文學走了一大圈，志氣變小了，但也更好看了。（王德威《花憶前身》，麥田出版，一九九六年，十頁）

可見時代也能塑造出不同的「眼」來看世界。

寫於一九九九年五月十日

李碧華：香港的曖昧與狹邪

李碧華的小說寫得很像劇本。言簡意賅，精煉扼要，缺乏細節的鋪墊和纖美的文采。然而，這種像劇本的小說卻偏偏極爲暢銷，被拍成電影後，再版或新版的小說加插了電影劇照，反而吸引了更多的消費者。李碧華的十部小說中已有七部被拍成電影，這七部電影分別是：《霸王別姬》、《青蛇》、《川島芳子》、《潘金蓮的前世今生》、《胭脂扣》、《誘僧》、《秦俑》。她的小說原本就不以寫全新故事見長，其立意創新處在於「故事新編」——李碧華版的故事新編。故事是老的、逝去的、膾炙人口的傳說、掌故、歷史，但她新編的方法卻常常出人意料，千奇百怪，層層翻新，而且通過參與劇本的改編、策劃等工作，她又捲入了「二度改寫」。從小說到電影，再從電影回到小說的再版，李碧華不厭其煩的重寫、改寫，彷佛是爲了刻意配合香港大衆文化消費的步伐，一遍遍地將故事託生轉世於她的香港情結裏。

談起故事新編，我們不由得想起了魯迅的《故事新編》和施蟄存的《石秀》。在他們之前，中國人似乎對這一文體情有獨鍾，對老的故事不厭其煩地翻新、重寫，於是我們便有了數不清的《後西遊記》、《新石頭記》、《某某後補》、《某某續編》等等。

不過，這一傳統在外國文學中亦常見，發展到當代尤其成了後現代小說常見的表達方式。比方說，美國作家E. L. Doctorow在《拉格泰姆音樂》（*Ragtime*）中，讓眞實的歷史人物與小說裏的虛構人物直接對話；德國作家Christa Wolf在其小說*Cassandra* 中從女性的角度來重寫希臘歷史故事；亞美劇作家David Henry Hwang

以真實的中國同性戀伶人間諜的故事來重寫著名的歌劇《蝴蝶夫人》。像這類的例子舉不勝舉，但李碧華的故事新編自有其獨特之處。她所提供的古今輪迴、情慾糾纏的想像空間，是世紀末情調的延伸，與死亡和新生不斷交替的幻影不謀而合。她的想像空間雖然沒有豐富的文采，卻有豐富的視覺效果。她書寫中的一幕幕鏡頭，永遠是幻象與真相之間不盡的爭執，正如新編故事對原始文本的再造，電影對小說的再造，真即是幻，幻即是真。歷史的真實性對於她來說並不重要，唯一重要的是她重寫過程中的文本策略。王宏志、陳清橋、李小良在《否寫香港》（台北麥田出版社）一書中對李碧華的文本策略這樣概述道：「李碧華的小說世界裏那多重互涉的文本和時空，在她策略性的重寫、添補、換置之下，更潛藏複雜的文本政治和權力交涉，表徵最突出的是性和性別的再現，還有和這方面緊扣但表面上沒那麼彰顯的『中國——香港／中心——邊緣』的糾葛。」

不錯，在李碧華光怪陸離的想像世界裏，性別政治和文化認同是她故事新編重要的文本策略。即使她在許多小說中也沒有直接寫香港，只是側寫、插寫或略寫香港，讀者卻能常常體會到她的香港情結。在此，筆者想通過李碧華對同性戀的描寫，以《霸王別姬》爲範本，來探討她在重寫歷史、重寫故事中所眷戀的香港地域文化，這一地域文化不僅是邊緣的，更是雙重的、曖昧的。它是雙重的，因爲它徘徊於英國殖民文化和中國的傳統文化之間；它是曖昧的，因爲它的認同從來都不是固定的。

李碧華的小說《霸王別姬》出版於一九九二年，後經陳凱歌導演成電影，奪得一九九三年康城影展金棕櫚獎，備受東西方矚目。對這一電影的爭論，大多數都圍繞着電影與李碧華原著的差異而展開。香港的影評家李焯桃和香港作家也斯，都曾指出香港所扮演的「曖昧的角色」被陳凱歌「完全地抹殺了」。雖然他們的評論都基於香港本位，但是，他們的批評觀點卻揭示了李碧華故事新編的獨特角度：就是以香港的曖昧對現代中國大歷史進行重寫。從表面上看，《霸王別姬》是以中國現代史的大時代作爲背景，但在結尾處霸王段小樓居然「毫不後顧，渡江去了。他沒有自刎，他沒有爲國而死，因爲這『國』不要他。」霸王最後安身立命的地方，是小小的香港，而不是偌大的中國，這其中的反諷意義不言而喻。但是，她又不同於大陸的先鋒派作家，她的反歷史的文本策略不屬於純文學的、嚴肅的、高品味的現代主義。或者可以說，她並非眞正要「反歷史」，而是在精心複製歷史，複製香港版的歷史。所謂眞實的、沉重的歷史，在她大批量的生產製作中，變得支離破碎、閃閃爍爍、如花似夢。李碧華的這種遊戲式書寫，產生於香港的後現代文化和後殖民文化中。在這種特殊的語境裏，所謂大歷史的「原本」和「眞本」，早已失去了其權威性和透明度，而被她的遊戲式語言深深地嘲弄着。王德威在《世紀末的中文小說》裏指出，李碧華的小說有着一種狹邪風格，而她的狹邪風格又是十分「香港」的。談到狹邪小說，我們不禁想起上個世紀末曾盛行一時的《品花寶鑒》、《青樓夢》、《花月痕》、《海上花列傳》和《九尾龜》等晚清狹邪小說。比起這些小說，李碧華的狹邪風格雖不似它們極盡鋪陳耽美之能事，卻「兀自有一股淒涼鬼氣，縈繞字裏行間」，把撲朔迷離的風月場引入所有關於國家、歷史、革命、男人的話語中，把香港的新狹邪寫入老的故事裏。在《霸王別姬》中，我們可以看到作者觸及了中國現代歷史的幾個重大時期：民國時期、抗日戰爭時期、國共戰爭時期、解放初期、文化大革命時期和鄧小平對外開放時期。但是她卻通過伶人——狹邪小說中的主角之一來寫這些重大歷史時期，把舞台與現實，情愛與政治，異性與同性錯綜複雜的關係揉入歷史想像中，創造了香港版的新狹邪小說。

小說最狹邪處，莫過於霸王的虞姬被換成了一個患單相思病的同性戀者。故事始於「霸王」段小樓與「虞姬」程蝶衣的童年。爲了讓程蝶衣進入戲班子，作妓女的媽媽下狠心剁去了他多出來的一個小手指。這是「虞姬」的第一次創傷，而這次創傷是他被閹割的象徵，預示了他日後的性別傾向。他從此不再是一個眞正的男人了。這一象徵符號同時也蘊含着另一層意義，那就是它亦暗示着香港的創傷歷史與創傷經驗：即它被母國割讓爲大英帝國的殖民地，從此其文化構成再不是單純的了。蝶衣被選爲「旦角」後，他必須學會作一個比女人更有女人味的女人，用他被象徵性地「閹割」過的身體來扮演女人的角色。小小的蝶衣被混亂的性別認同痛苦地折磨着，因爲一句台詞「我本是女嬌娥，又不是男兒郎」，他不知捱了多少師父的打罵。不過，他漸入佳境，終於在舞台上成了一個「眞正的女人」。蝶衣的性別混亂正好是香港文化混雜的表徵，而他成功地扮演了女人的角色，不正揭示了香港文化的尷尬處境：即永遠無法回到「原文化」而又永遠無法完全認同殖民文化的兩難境地？這裏可以見到李碧華的「別有用心」處。

蝶衣對段小樓的一往情深，是霸王與虞姬曠古愛情的翻版，但這一版本卻讓人無法分辨台上台下的戲。就算是在生活中蝶衣眞的入了戲，那也不過是「戲」而已。陳凱歌的電影偏偏太把這「戲」當眞了，他似乎要爲我們展現一個「眞」的同性戀悲劇，一個中國歷史的大悲劇。然而，李碧華的書寫卻總是似眞似假地遊戲於

「戲」中與「戲」外。事實上，李碧華的故事新編從一開頭就把老的原作的故事給「閹」了。在原初的故事裏，虞姬為了霸王不惜拔劍自刎。可是，李碧華的「虞姬」卻縮頭縮尾，遠不如故事裏的眞女人——段小樓的妻子菊仙做得乾脆。自始至終，蝶衣一直缺乏勇氣為霸王段小樓眞正獻身。在菊仙為了保護霸王而不幸流產的時候，蝶衣什麼也沒有做；在文化大革命的瘋狂撕殺中，蝶衣卻出賣了段小樓夫婦；菊仙為了愛情可以上吊自殺，蝶衣反而最終娶了一位組織上分配給他的女人。蝶衣實在是太缺乏為「眞理」為「愛情」而獻身的精神了。他所表現的在情愛與性別問題上的曖昧性，如同他的政治認同一樣，與「從一而終」永遠背道而馳。在以往政治認同上，他也一直是曖昧的。先是賣身於袁四爺，然後又視懂戲的日本侵略者為知音，而後又代表大陸戲劇界出訪香港，巧遇上出走香港的霸王。無論從情愛、性別還是從政治來看，蝶衣的認同都總是游離於界線左右，不被任何界線所固定。換句話說，作為「虞姬」的複製品或「偽製品」，蝶衣有着足夠的「中間地帶」來一次次逾越國家的界線，民族的界線，文化的界線，還有男女性別的界線。而這一「中間地帶」正好符合了香港的特定文化空間與特定歷史現實。蝶衣的曖昧性正是香港的曖昧性，他的頹廢正是世紀末香港的寫照。

陳凱歌的電影讓虞姬最終爲霸王自殺，並把小說結尾的香港場景刪除掉，實際上這種做法仍然是想取代「中心」，而且是現代主義的思路：試圖給觀衆帶來震驚的效果。相比之下，李碧華的小說則更屬於後現代派，以地域政治和性別認同來重寫大歷史。電影中的狹邪與頹廢感似乎有點牽強，除了讓蝶衣抽大煙外，好像也沒有什麼其他的表達方式了。李碧華小說中的狹邪與頹廢則與她的香港情結緊密相連，在曖昧深處見狹邪。她對電影改寫的積極參與，也體現了她對自我的不停改寫、重構。顯然，她對自我的認同，對香港情結的認同，同樣也不是一成不變的，同樣充滿了曖昧性。

（原載於《明報月刊》一九九八年四月號）

輯十一：自說心事

抱着娃娃到香港

經過一個學期緊張的教學，終於盼來了暑假。第一件事就是急捲行李，帶上兩週歲的兒子，與先生一起登上去香港的飛機，我的父母和奶奶在那邊等着我。沒想到在飛機上，亢奮的孩子沒有一刻安靜，他似乎意識到這是一次不尋常的旅行，連睡覺時都緊緊抓住我。二十個小時的藍天陸地，上折下騰，飛到太平洋東部上空時，我的腰累得彷彿要斷掉似的，筋疲力盡。在那一刻，我好想獨自躺臥在乳白色的雲彩上，消逝在有着丁香花芬芳的夢境裏。

做了兩年的媽媽，雖然愛孩子的心是完整的，享受着兒子成長的每一個瞬間，卻少了一份安寧的心境。每天對於我都是一場戰爭，一場掙扎於孩子與事業之間的戰爭。從小到大，我從沒這麼累過，不光是身體累，還有心累。在學校，我要面對繁重的教學課程、複雜的同事關係與校園政治，以及具有挑戰性的研究項目；在家裏，我被沒完沒了的尿布和兒子的吵鬧聲所淹沒。整整兩年，我總是處於這種「戰爭狀態」，像一隻匆匆忙忙的戰船，無休無止、疲於奔命地往返在兩岸之間。有時覺得自己真的像碎片，散亂地撒向此岸，又撒向彼岸，充塞於生活中的是緊張，內心清晰感受到的是無奈，過去許多柔美的音韻似乎都變成了刺耳的吶喊。

與奶奶和兒子合影（攝於2001年）

在藍空飛行的路上，我閉上眼睛，默想着一個世紀以來從未停斷過的婦女解放運動。婦女是解放了，娜拉們是走出家門了，林黛玉薛寶釵們是可以把詩歌發表在報刊上了，被綁得緊緊的小腳是可以鬆開了，被節烈觀壓得死死的女人是可以再嫁了。然而，這些解放了的婦女，怎麼也沒想到，就在解放的那一刻，自己的肩上突然在家庭的重擔之外又多了一副社會的重擔，個個成了「雙肩挑」，甚至多肩挑。就我來說，不僅要當好妻子、好媽媽，還要當好老師、好學者，幸而沒有參加革命，否則還要當好戰士。除了這種雙肩意義之外，像我們這些「女留學」，不僅要挑中文，還要挑洋文；不僅要挑東方文化，還要挑西方文化；不僅要挑黑板課堂，還要挑電腦機器。沒有三頭

當孩子企盼母親全心全意地愛他時，母親能不無條件地給予嗎？（攝於2003年）

六臂，只靠雙肩，是絕對不夠的。你也許會說，現代社會男女平等，男性所承受的壓力和女性是一樣的。我的回答是，從我個人懷孕、生育、帶孩子的親身體驗中，女性所忍受的痛苦遠遠超過男性。懷孕、生產時身體的變形與劇痛都還是暫時的，每日反反覆覆對孩子瑣碎的照顧與工作中的焦慮，才眞正難以對付。兒子對我天然的依戀和信賴很美，像春季的陽光、河裏的睡蓮、天上的花壇一樣美，但我心中的焦慮卻讓我無法欣賞這種美。這種反覆不休、永無止境的矛盾令我沮喪。於是，有時我像祥林嫂一樣不停地找人訴說，有時則乾脆坐在地上歇斯底里地大哭。經歷了這一切，才明白解放也有解放的難題，才想到任何一種漂亮的觀念、主義都有雙面性。

西方女權主義者Adrienne Rich曾大膽地挑戰天經地義的母親角色。她認爲，母親角色是男權社會所設定的一種制度，以此控制女性的身體與生活，貶低女性在家庭裏或在家庭外的「生產性」的工作。不錯，Rich的提法値得我們深思，女性對自己的身體要掌握主動權，不過，她卻沒有看到作爲一個母親和事業女性的雙重困境。當孩子企盼母親不含雜念、全心全意地愛他時，母親能不無條件地給予嗎？母愛是理性的還是感性的？面對困境，我只能幻想心中有股神奇的力量支撐着，讓我既做好「家庭生產」，又做好「社會生產」，而面對「廣大的婦女姊妹們」，我可不敢要求她們雙肩挑或多肩挑，人各有志，只要是眞實的生命存在就可以了。即使有些姊妹願意留在廚房灶邊，不願「解放」，只願意當好母親，我想也有她們的充分理由。

二〇〇一年八月三日於美國

（原載於《明報月刊》二〇〇一年九月號）

「第二祖國」門前的徘徊

我有兩個祖國的圖騰，一個是祖母滿頭的白髮，它不僅讓我看到永恆的母性之光，還讓我彷彿身臨其境地閱讀一個世紀的滄桑；另一個就是父親（劉再復）書寫的方塊字，它是我生命的第一脈泉水，也是引導我通往陌生世界的彩虹。不過當綠卡、美籍等實際問題出現時，我不得不重新面對「祖國」這個概念，以及它所包含的所有複雜的文化身份認同問題。

拿到美國綠卡之後，還要不要申請美國國籍？對此，我們一家曾討論過。妹妹說「當然加入」，媽媽說「可入可不入」，爸爸說「我不入」，而我呢徘徊了一陣，還是加入了。加入了美國國籍之後就不是中國人了嗎？不，我還是地地道道的中國人，地地道道的黃皮膚，地地道道的黑眼睛，地地道道的腳板底，還有血脈深處唯有自己才能聽得見的長江黃河的潺潺流水聲。

加入了美國國籍之後，又與家人討論：美國可以算是「第二祖國」嗎？問題是我提出的，可是我自己卻有點語塞。還是十二歲就來美國的妹妹乾脆，回答「當然是」，媽媽卻也語塞，似乎不情願承認美國是第二祖

與妹妹劉蓮（右）於1998年攝於美國家中

與父親劉再復、母親陳菲亞、妹妹劉蓮（左二）及兒子Alan攝於2003年生日會上

國。而我爸爸，他的回答比較有趣，我側耳聽他說：「我的祖國當然是中國，第二祖國卻是全世界。從血緣意義和地理意義上說，我只有一個祖國，從精神創造的意義上說，我屬於思想者部落，可以說思想者無祖國，也可以說，思想者處處是祖國。」我爸爸不是迴避我的問題，而是眞的這麼想。他愛祖國，但不喜歡把「祖國」二字當作面具。因此，出國之後，他在現實的層面上懷着深重的故國之情故國之思，但在精神層面上則放逐權力意義的國家，尋找心靈意義上的故鄉和祖國，這種祖國除了孔夫子與老子的春秋戰國和曹雪芹大觀園裏的詩國、女兒國之外，還有古希臘與莎士比亞的戲劇王國，羅浮宮的藝術合衆國，老托爾斯泰的小說聯合國，以及父親自己編織的有女媧精

衛也有蜻蜓蝴蝶的兒童共和國。越過精神的國界線，我父親的生命能量釋放出來了，我眞爲他高興。

不過，我發覺父親在情感上仍然不樂意使用「第二祖國」的概念，他身上似乎還有一條神秘而堅靭的根在牽制着他。他還不能像賽珍珠那樣，在接受諾貝爾文學獎的演說中直言不諱地說：中國是我的第二祖國。賽珍珠的第一祖國是美國，而她可以非常快樂地從身心的深處喊出第二祖國的名字。比賽珍珠更早，偉大的俄羅斯作家陀斯妥也夫斯基在給兄弟的信中也坦率地說：「我有兩個祖國，一個是俄羅斯，一個是歐洲。」陀斯妥也夫斯基的一生，都沉浸在精神的國度裏，他所指的祖國也是精神的祖國。沒有第二祖國的基督教文化，就沒有陀斯妥也夫斯基。他的身上確實既流淌着俄羅斯文化的血液，又流淌着歐洲文化的血液。因爲他是雙重偉大文化的兒子，所以他才擁有雙倍的力量支持自己走上世界文學的巔峰。

像陀斯妥也夫斯基與賽珍珠這種直言自己擁有兩個祖國的心態，是精神之子的天眞心態，也是人類本應有的正常心態。可是，中國作家詩人眞能擁有這種心態並不容易。中國作家在談起民族主義、愛國主義時往往理直氣壯，而在談起超越國界和擁有人類情懷時則語軟辭窮。即使像我父親這樣沒有「愛國酸氣」的漂泊者，也

一九九四年與先生黃剛攝於美國哥倫比亞大學研究生宿舍中

會在「第二祖國」門前徘徊。也許不是徘徊，是認定自己是泛祖國的世界遊子。至於我，在第二祖國的門前固然也徘徊過，但最後還是踏進並接受父親的泛祖國之思。這樣做，既不會減少對第一祖國的愛，還增加了一重對四海兄弟的愛。幾十年後，等到在美國出生的孩子長大成人，我也希望，他能記住，他有兩個父母之邦，還希望他能記住母親心目中最後的故國的圖騰，別在英語家園裏丟失了圖畫般的方塊字。

（原載於《明報月刊》二〇〇一年十月號）

此刻我更相信眼淚

美國二〇〇一年九月十一日大劫難之後，我每天都看到眼淚，連最著名的笑星David Letterman也在落淚。今天把剛收到的《明報月刊》十月號一翻，又看到了眼淚。

最讓我感動的是董鼎山先生的哭泣和我大姊似的朋友堅妮的哭泣。男兒有淚不輕彈，可是，董鼎山先生面對爆炸的情景，放聲痛哭。這是他一生中第四次面對電視機哭泣。除了他哭泣之外，還有他的死裏逃生的朋友父子，還有他的妻子和女兒，全都在哭泣。他的女兒看到劫難後「第一個反應是打手機向母親哭泣」，而妻子呢？「葆琪的感情再也守不住了，緊抱着我放聲大哭」。董鼎山是我很尊敬的作家，錚錚的男子漢，筆下全都是堂堂正正的文字，我曾從他的文字中得到許多知識和啓悟，也得到許多力量，這次卻從他的哭泣中得到了感性的共鳴。還有堅妮，我們一家的好友，一個典型的現代獨立女性，除了工作、寫作外，還獨自照顧年幼的孩子，每天在華盛頓挑着三個重擔。事發的那一刻，她驚叫起來，然後立即想到放在幼兒園的兒子，可是不能離開崗位，在顧此失彼的焦慮中掙扎了幾個小時之後，終於與孩子見面，一見面就抱頭痛哭。堅妮生性倔強，雖屬溫情女性，眼淚也是不輕彈的，可是，這一次她把眼淚化爲文字，哭在讀者面前。同樣是小媽媽的我，回想起當天所經歷的類似的情景，不禁跟着潸然涕下。

這兩篇文章都打動了我。閱讀中覺得眼淚比語言更美，哭泣就是哀悼的音樂。我敞開自己的靈魂，吸收這些眼淚，並相信眼淚會滋潤我的良心。在看到許多哭泣的這些時日，卻也在電腦網站裏聽到爲恐怖行爲叫好叫絕的笑聲和掌聲，還有報刊上許多斥罵美帝國主義的學者教授的聲音。是非黑白且不論，面對紐約廢墟上的六千具屍首，我只覺得這些聲音不和諧。突然間，我感到一種無法排解的憂傷：人間，這個我深深熱愛的人間，怎麼會變得如此天差地別？人與人之間怎麼如此難以溝通？連面對一個如此巨大的災難，一個天昏地黑的死亡，也難以有一致的同情心，難以一起爲無辜被毀滅的生命祈禱。恐怖活動讓我感到從未有過的恐懼，一個弱女子，內心感到的寒冷是許多強人、猛人不能理解的，然而，他們更不能理解我的另一層寒冷：爲人與人之間的隔膜與冷漠而渾身打顫。

這些日子，我被歷史的烽煙所吸引，破例地追蹤時事新聞和有關評論，讀到許多教授義正辭嚴譴責美國霸權主義的文字以及批判全球化的文字。這些道理我是熟悉的。的確，經濟一體化包含着貧富懸殊、生態破壞與剝削壓迫，弱勢國家一部分民衆的貧困確實會造成仇恨，以財富爲主導的地球在運轉中把宗教、人文和傳統習慣推向邊緣，總是會引起邊緣人的不滿和抗爭。怨恨並非完全沒有理由。我也同情對資本主義全球化的理性批評，可是，我們不能因此便排斥一些維繫人類社會的基本價值觀念和行爲準則，也不能把資本主義無限地抽象成一個無所不在的「罪魁禍首」。面對巨大的恐怖罪惡，我們恐怕首先必須正視其罪惡，然後再作其他漂亮文章。

加繆的《鼠疫》寫的就是人面臨荒唐的世界時，儘管每個人有不同的立場，但在心靈深處卻有相通的地方。這共同的地方就在「山崗上散發着馥郁的香氣的荊棘叢裏，在大海裏，在那些自由的地方，在愛情之中。」說到底，還是在人與人能夠相通的愛與關懷中。此時，面對一滴一滴的眼淚，也面對一套一套的高深道理，矛盾之中，我還是更相信眼淚，更相信人類心靈深處的那一點溫情。

（原載於《明報月刊》二〇〇一年十一月號）

簾外秋雨正潺潺

把孩子送到鄰居的阿姨那裏，回到家中，先生早已上班，空蕩蕩的大房子只剩下我、茶杯、雪白的四壁，還有安靜的桌椅和書架。在辦公桌邊坐下來，向窗外一瞥，才發現秋雨綿綿，雨絲潺潺地飄落着，沒有聲音，只有飄落。天地間除了我和潺潺秋雨外，只有流動，只有大寂靜，好像這一刻是特意爲我而產生，爲我而存在似的。

不知怎麼回事，就在這一瞬間，我所感覺到的幾乎無法用語言描寫出來，只是激動得想哭，想悄悄哭一場。無端興奮，無端哭泣，這不是憂鬱症的症狀嗎？不是的，我的頭腦格外清醒。此時，我希望眞有一個可以傾訴的上帝，我要對他訴說，要感謝他給我這份寧靜，給我這幾個小時可以獨處，可以讀書，可以寫作。給了時間，就是給了生活全部。潺潺的雨絲是我溫柔的衛士，多情地守着我的安寧，讓我感到與外界的隔絕，自由自在地沉浸在夢幻般的文學世界裏。

這種安靜，這種美，幾年前的我根本不知愛惜。三十三年過去了，就在而立之年，我才知道世上最寶貴的是什麼，原來，它就是沒有

丈夫黃剛及兒子Alan給予我世上最寶貴的東西（攝於2001年）

形體、觸摸不到的時間。而立，而立，其實就是把擔子挑起，挑這挑那，誰都在爭奪我的時間。孩子最柔嫩，但和我爭起時間卻最有力量。丈夫也在爭，他埋怨原來以爲讀文學的妻子可能很浪漫很有趣，現在才知道沉入書本中的人根本沒有時間體味情趣。還有那部電話，鈴一響，就是要時間。以前不知道時間的珍貴，現在知道了，可惜它已成碎片。從早到晚，從星期一到星期天全是碎片。而今天，潺潺秋雨中，我卻發現這幾個小時的時間是完整的，是完完全全屬於我自己的。上帝沒有拋棄我，造物主沒有把我從完整的時間地帶裏驅逐出去。「失樂園」中不包括我，從此時開始一直到下午五時，在孩子回來前，我將生活在樂園之中，這是怎樣的幸福啊！

小時候，我和媽媽、奶奶生活在閩西的山城裏。到了梅雨時節，我透過窗子看雨絲時，只覺得時間的漫長，周圍縈繞着時間的游絲，太陽和月亮似乎停止了運行，毫不理會我是那麼地盼望着成長，盼望着綿綿細雨的終結。年少時只想到生命的生長，哪能想到生命的消失。如今卻完全不同，焦慮的全是時間的不足與生命的緊迫。今年夏天去香港探望父母時，與李澤厚伯伯聊天。他說要取得事業上的成功，關鍵有三項：第一是抓緊時間，第二是要有好的圖書館，第三是要有好的研究方法。我記下了，不過心裏感慨自己最缺的就是時間。

在國內時以爲美國處處是自由，眞到了美國，才明白這裏並非神仙世界，它同樣受到人世界的限定。人一定會死，死亡就是一個巨大的限定。在這個大限定裏，每一天又都有限定，一天不睡覺就不行，睡眠就在限定你。當了媽媽之後，才知道小孩子從誕生的那一天就在限定你，不遵守他的限定，他就以哭泣來抗議。可愛的孩子分明是可恨的時間剝奪者。此時他不在，我才體驗到超限定的自由的喜悅，感到從瑣碎生活中奪回一點屬於自己的地盤的喜悅。

簾外的秋雨還在下着，「隱身」在這片屬於自己的寧靜中，彷佛與宇宙的無限取得了和諧。眞好呵，窗外潺潺，筆下也潺潺。

（原載於《明報月刊》二〇〇二年二月號）

爲自救而寫作

天地出版社通知我父親，說《共悟人間——父女兩地書》的第一版已售完，立即要印第二版。還告訴我們一個好消息：七月下旬，香港貿易發展局和香港藝術發展局舉辦香港書展，事先請讀書家們評出三十部優秀書籍，《共悟人間》也中選。

爲此，薛興國先生還寫了一則推薦文字，發表在《明報》「世紀」副刊上（六月二十九日）；這之前，我曾讀過陸鏗、潘耀明、戴天等先生發表在《信報》、《明報》上的推薦文章，文中激勵我的文字，使我感到非常慚愧，但也使我感到鼓舞。我父親已經走出他人的目光，不太留心外界的褒貶，而我畢竟是初出茅廬，對前輩作家的肯定，眞感到喜悅。趁再版之際，我要在此認眞地說一聲感謝。

除了書評文字之外，還有兩位父親和我特別敬重的前輩——金庸和范用也熱情推薦這本書。今年四月，金庸在天地圖書公司的新書發佈會上，鄭重推薦。范老則全力向北京三聯書店推薦。爲此，三聯書店還通過「天地」向我們約稿，但因事先我們已和上海文藝出版社簽約付排，所以未能在三聯出版。金庸先生、范用先生和其他前輩的深重情意使我感動，並幫助我獲得中文寫作的信心。

我父親認眞地和我通信，不斷敦促我抽空進行中文寫作，這並不是要我保住在美國的「鐵飯碗」，因爲中文著作在大多數美國學院並不作爲考核的成績。在忙碌中還要寫，用父親的話來說是爲了「自救」。美國是個商業氣很重的國家，它本來就富有，高科技的發展和好萊塢等文化工業又造成一代新貴。因爲太有錢，就吸毒，就玩樂，就拚命享受。人的聰明才智導致了科技與經濟的高度發展，卻造成人本身的深刻危機。人類發明了新藥治療各種病症，對精神沉淪卻無能爲力。正如高行健叔叔所說的，人能做的只是些細小的事，如製造新的藥，弄出新的產品、時裝、氫彈或毒氣，但人生之痛苦卻無法解脫，劣根性也無法醫治。這正是人面臨着的另一種形式的生存挑戰，即太聰明、太富有帶來的挑戰。我雖然在校園裏，也感到安逸的挑戰、物質誘惑的挑戰。在挑戰面前，父親和我選擇應戰的方法就是不斷讀書寫作。「寫作可以逃逸到最深的感受中」（高行健語），可以進入精神的最深處。我父親一再說，唯有寫作，唯有不斷向內心深處行進，才能與人類歷史上最偉大的靈魂相逢。寫作於我，恐怕是最好的一種「自救」手段。

我這一代人，是理想破滅的一代，又是相當自負的一代，因此，既缺少「救世情結」，又缺乏自救意識。到西方求學深造，自以爲「前途無量」，哪裏想到也有沉淪的可能！而事實上，深造固然長知識，但也會把自己塑造成西方學院裏的「規範中人」，自我的聲音越來越微弱，離「性情中人」越來越遠。也就是說，腦子生長了，但心性卻未生長。陳寅恪先生說，「士之讀書，蓋將以脫心志於俗諦之桎梏」，也就是要培育脫俗的自由心志與獨立精神，這恐怕比掌握知識還難。我父親在通信中激勵我把生命與學術相銜接，始終面對生命困境，並從中發現問題，始終不放棄一個知識分子的高貴品性——敢於對權勢說眞話和提出坦率的叩問。唯有這樣的學問，才蘊含着人的靈魂。現在我雖不能說找到生命與學術的連接點，但至少已不再惶惑。

《共悟人間》只是我寫作生涯的開始。我清楚地意識到，能與父親進行知音般的對話，乃是上蒼所賜，但今後我要依據自己的力量，更多地獨自感悟人間，努力往人類靈魂的深處探索，努力去尋找德謨克利特之井。在寂寞而充滿詩意的精神路上，我也許可以再度與父親相會。

二〇〇一年六月二十五日

（原載於《明報月刊》二〇〇一年八月號）

我的第一部英文著作

我的第一部英文著作《革命與情愛》（*Revolution plu Love*）近日終於由美國夏威夷大學出版社出版了。拿到郵來的樣書時，眞按耐不住內心的激動。撫摸端詳了一會兒封面，立即大叫樓上的爸爸媽媽：「我的英文書出版了，快下來看！」他們帶着我的小寶寶立即下來，圍着新書讚賞了一番，媽媽一邊看着書一邊撫摸着小孫子的頭說：「嘿，出這本書比生我們這個小咪咪還難。生小咪咪懷胎十個月，這本書恐怕連懷帶生有十年了吧！」

媽媽說得沒有錯。這本書從讀博士學位開始構思到初稿完成，大約用了五年時間，之後又不斷修改與潤色，加上出版社的審查過程和簽約後又編輯人名書名索引等等，眞是經歷了八年時間。太難產了！想到這裏，一邊高興，一邊也覺得慚愧。自己除了才氣不足之外，還有一個原因，是英文寫作對於我總是不如中文寫作那麼方便。現在美國大學東亞系已經有二、三十位來自大陸的助理教授和教授了，但他們大多數出身於大學外語系，而我則是出身於北大中文系。如果不是我讀了北京二中（北京重點中學），外語課抓得特別緊，再加上父母爲我請了課外英文輔導老師，我連留學夢都做不成，更不用說英語寫作了。到美國後，我被大環境和小課堂所逼，英文水平雖不斷長進，但比起英文系出身的「同路人」，自然要吃力得多。只是我還有一點毅力，堅持雙語寫作，堅持不停地往前爬動。在烏龜與兔子的賽跑中，我不屬於兔子，但在同齡人中出版英文著作，倒屬於「先進」了。這也正好應了中國「笨鳥先飛」的俗話。

爸爸老是批評我時間抓得不夠緊，說我時而是「狀態中人」（即全心投入寫作研究狀態），時而不是「狀態中人」（即慢悠悠狀態），今天，見到我的書，他也眉開眼笑了，坐在沙發上一頁一頁地翻閱，不懂得的生詞還問我，我靠着他的肩膀解釋，他這回才滿意的親了一下我的臉頰。我提醒他說：「你看扉頁，上面寫着獻給親愛的父親劉再復。」他立即翻到扉頁，笑得更開心了。

父親是滿意了，可我自己又開始不滿意了。覺得寫作這部著作時，受西方學界瀰漫的解構氛圍影響太重，正面建構屬於自己的精神支點還不夠強健。這本書探討了中國現代文學史上權力與性別，政治與文學的交織，給中國現代革命文學的研究補充了一個女性批評的視角，特別是抓住「女性身體」

與家人在兒子一歲時留影（攝於2000年）

這一中介，說了一些以往現代文學史論者未說過的話，不能說沒有學術價值。但是，對現代女性的精神開掘還不夠深。我現在剛剛投入第二部英文著作的構思，有信心寫得比第一部更豐富，建構性要更強些，境界也要更高些。我把這一想法告訴爸爸，他說，「看來笨鳥還不笨。」

對於五四新文化運動的婦女解放，我雖知道其意義的偉大，但也常有困惑，僅自己所體驗的「雙肩挑」（家庭重擔外加社會重擔）就常叫苦不迭。不過，今天面對着還散發油墨香味的新書，覺得不管怎樣，五四運動不僅把林黛玉、薛寶釵等女性詩人們引出大觀園的圍牆，進入社會進入大學校園進入報刊，而且還讓她們越走越遠，甚至跨洋過海用另一種語言寫詩寫小說，或像我一樣寫一點所謂「論著」，這畢竟是大解放。八百年前李清照要是能用「洋文」寫書，心靈也能在另一片語言世界裏雲遊，她會多高興呵。想到這裏，我對近代以來一切爲婦女贏得精神價值創造權力的文化改革者與先驅者充滿感激。沒有他們的吶喊，就沒有我的英文書籍。無論如何，我們在批評現代文化負面的同時，不應當抹煞它對女性解放的大功勞。想到這裏，困惑中也還是有許多喜悅。

雖說什麼都不在乎，但昨夜在燈光下還是一頁頁的把新書翻了一遍，人生這種美好的瞬間，一輩子大約也只能有幾次。有這一瞬間，以後大約更不會氣餒。

寫於二〇〇三年十月

我的「水上書寫」

四十年代初期，張愛玲以小說集《傳奇》和散文集《流言》名震文壇。流言，本來指的是「流言蜚語」的流言，但張愛玲在談論「流言」時卻着意在創造一種眞正屬於自己的流動性話語。這種話語不僅是漂流文學不可缺少的一種寫作狀態，又恰恰是女性敘事所依賴的基本模式之一。

抗日戰爭產生了一大批流亡者。當知識分子的家園被蹂躪、被佔有之後，他們被迫帶着無限的惆悵與疲憊的心靈開始了遙遠的旅程。或奔走在荒野中，或蹣跚在一望無涯的塵霧裏，盲目地漂泊在充滿廢墟的道路上，渴望着終點同時又畏懼着終點。正如路翎在《財主底兒女們》中所描寫的，「他們是走在可怕的路程上了，不知道自己是什麼地方來，也不知道要到什麼地方去。」有的人最終尋找到了延安——革命的搖籃，並把它浪漫化以至神化成人間樂園；有的人尋找到了永恆的聖潔的女性；當然也有的人則是從無盡的追尋陷入到無盡的幻滅中。比起在曠野中跋涉着的「流亡者」群體，張愛玲反而從香港回到了她久違了的上海，並從此大紅大紫，成爲奇迹。她的成功得益於上海。用柯靈的話來說，「上海淪陷，才給了她機會。」於是，在這偶然的時空裏，張愛玲的非主流文學得以崛起。從表面上看，張愛玲的創作離「流亡」與「追尋」主題甚遠，既未將女性聖潔化，又未能開拓一個超越的哲學世界來遠離塵囂。相反的，她的文學世界裏充斥着無數深知人情世故的都市男女，個個都精明得不得了。然而，她最常用的字眼是「荒涼」。如她所言，「有一天我們的文明，不論是昇華還是浮華，都要成爲過去。」這種內心的荒涼感實際上是拒絕認同任何一個家園。也許正因爲如此，她沒有認同單一的政治、民族或文化的歸宿，而是把「流言」當作了自己的一種寫作形式和語言停泊處。

法國女性主義批評家露西．伊雷格瑞（Luce Irigaray）曾把女性描述成一種流質體，用以解構男性的固定化話語。女性的語言是「流言」，常常流離於中心之外，攪亂男性邏輯與句法體系。張愛玲的「流言」不僅是女性的流言，更是以自由的散文體出現，無拘無束地流動於新、舊思想與東西文化之間，閃爍着華麗多采的姿色。所以，她雖未流亡，卻以流言實現了對國家話語和主流文學的放逐。今天，我想把所謂「流質體」、「流言」再作命名，稱之爲「液態語言」或「水上寫作」。由此，女性書寫，也可稱爲「液態書寫」或「水上書寫」。我覺得我的寫作也正是「液態書寫」或「水上書寫」。這種意念的內涵此時於我也格外明確：第一，它是自由漂泊的，不是固守一處的；第二，它是柔和多姿的，不是僵死的硬塊；第三，它如水透明，揚棄「泥濁世界」的功名雜念。女性寫作的快樂，正是這種液態寫作的快樂，也可說是「水上寫作」的快樂。在水上漂流眞比在陸上爬行好。我有時寫寫英文文章，有時寫寫漢語文章，時而寫寫被邏輯套住的學術論文，時而寫寫又歌又泣的短小散文，時而與女兒邦的天才們一起狂歡，時而與我的混沌未開的小嬰兒戲耍，寫寫她們與他，才眞的快活。我現在做的夢只有一個，這就是有一天，我的寫作眞的一點也不用想到什麼「頭銜」、「名聲」、「職位」、「飯碗」這些勞什子，眞的只是「我筆寫我心」，那我的「水上」就是自由的大海，我的「液態」，就是無盡的波瀾，這是多麼的好啊，這才是生活，這才是寫作。

寫於二〇〇一年二月

空間與女人

空間和時間對女人來說有多大的意義，這一直是女性主義研究的一個熱門話題。好像女人都特別怕老。這種心理是超越國界的；好像女人都渴望有「自己的房間」，這種心理也是超越國界的。

我從中國來到美國留學後，覺得空間彷佛開闊了許多。不僅有了相當實際的

「自己的房間」，而且內心空間也自然而然地跨越了地理意義上的界線——我成了擁抱世界主義的中國女子。但是，我不久就發現，由於女人都太執着地維護「自己的房間」，理想的純粹的世界主義總是難以實現。維吉尼亞·伍爾芙曾這樣說過，「事實上，作爲一個女人，我沒有國家。作爲一個女人，我不想要任何國家。作爲一個女人，我的國家就是整個世界。」她的這些話寫於一九三六年至一九三七年之間的反法西斯主義和國粹主義的運動中，後來她的這些話又被發展成歐美女性主義者試圖建立理想的姐妹邦的信條。但第三世界的女性主義者很難完全認同於這一理想的姐妹邦，她們不同的政治、文化、歷史和地域背景，使她們無法異口同聲地說出這個理想的「我們」；相反地，她們從這種差異性中更深刻地領悟到了女性主義理論的批判基點。所以，雖然每個女人都渴望擁有「自己的房間」，但是如何擁有、如何裝飾、如何使用卻滲透着具體的個人經驗和認同傾向。私人空間在拓展成世界化的空間後，在某種程度上能有積極的意義，比如可以用來對抗狹隘的民族主義，可是，強調女人的地方性也同樣是挑戰帝國主義霸權的一種策略。二者相輔相成，缺一不可。可以這樣說，女人空間的世界性和地方性是一種辨證的關係，它們與時間也是緊密相連的。不同歷史時期的女人有不同的文化心理，用當代女性主義批評家朱迪斯·巴特勒的話來說，女人不是天生的，女人是由文化社會規定與製造而成的。當然這種製造隨着歷史的變化而變化，有着豐富的文化空間與時間的內涵。

人們常常通過「自己的房間」來表達自我，我也不例外。攝影師常常喜歡在人與背景的關係中尋求出某種靈感來。我很難想像失去空間失去背景的我將會是什麼樣子，我也很不願意去想像我被固定在一個不動的靜止的背景裏將會是什麼樣子。平時，我喜歡突發異想地改變房間的裝飾、擺設，置身在不同的擺設中我有着不同的微妙的感覺。我喜歡去品嚐這種微妙的感覺。不過，我更多地是生活在實際與想像空間的交錯中。我想像的空間會牽引

一九九二年與父親劉再復攝於科羅拉多大學畢業典禮上

我回到我思念的故鄉，會牽引我回到孩童時的天眞，當然這些美好的記憶都分別被掛在、被擺在或被珍藏在我實際空間的每一個角落裏。

佔據我房間最大空間的是我的書籍，從這些書籍和書架中似乎很難分辨女性化與男性化空間的特色。不過，在我的心目中，我的房間也存在於這些書籍的字裏行間裏，存在於英語與漢語的行文間；當然，更多的是存在於我自己筆下所塑造的空間裏。

寫於一九九八年二月

輯三：也悟滄桑〔註〕

〔註〕本輯是二〇〇一年至二〇〇二年期間我和父親共同爲《亞洲週刊》寫作的專欄文章，屬「對話」形式，所以開頭都有稱謂。

輕與重選擇的困境

爸爸：

卡爾維諾的《爲下一個千禧年所寫的六份備忘錄》在輕與重中選擇了輕，而你在剛與柔中選擇了柔。毫無疑問，你的選擇來自對中國二十世紀的反省。經過整整一個世紀火的洗禮、重的積壓和激昂的高姿態，你反過頭來更看重所有「柔」的含義——和平、改良、協商、妥協、讓步、悲憫、教育、建設——輕緩的節奏，清澈的溪流，日常生活的點點滴滴，讓這一切逐漸地、靜悄悄地結晶。這個結晶的過程雖然緩慢，但不是破壞。在平緩中，我們或許能找回人類心靈曾經投射在世間萬物中的光明。

我認同你的選擇，也許因爲我是女性，天生就喜歡「輕」的文學和「柔」的內涵。不過，我對二十一世紀的展望，恐怕沒有你那麼清晰。在幾秒鐘內，我的思緒飛越過人類文明的幾十個世紀，在隱約的輪廓中，發現被時代限制的作家和超越時代的作家都同樣失落，前者在集體的合唱中對自己的歷史處境失去了反省和批判的意識，後者則不屬於自己的時代，被孤獨地懸置在半空中，爲大衆揭示了「彼岸」的世界，自己卻與那世界也格格不入。

在這個失去了神秘信仰的時代，無論是重文學還是輕文學，熱文學還是冷文學，都無法讓我們相信人們還可以通過藝術來挽救生命。正是藝術不能挽救任何東西，所以張愛玲和她的崇拜者寧肯把世紀末的頹廢姿態延伸到新的千禧年裏，爲我們文明的墮落做出一個清醒的、絕望的預言和總結。

說起輕與重文學，我雖然喜歡優美與輕柔的文學，如普魯斯特的《追憶似水年華》在回憶的細流中從遙遙的遠方來到我的內心深處，那經久不散的滋味令我陶醉，但我也喜歡重的文學，如陀思妥耶夫斯基對人生充滿哲理的不屈不撓的叩問，每一下沉重的敲擊都能引起我的共鳴。我實在是難以做出選擇，只希望二者能夠共存。不過，在美國校園裏用英文講授中國文學時，我發現美國學生並不缺少輕的興趣，他們其實犯的都是「失重」的毛病。經過了後現代社會文化工業的洗禮，我的學生大多只懂得欣賞「輕」的、幽默的、好玩的東西，十分懼怕沉重感。偏偏我所教的中國現代文學又承擔了大量的歷史與民族國家苦難，讓學生們大大叫苦，而我也常常苦於找不到與他們對話的途徑。偶爾在課上放一兩部中國影片，他們也嫌太沉重了。學生們的這種失重感揭示了後資本主義工業社會的文化轉向，正如弗雷德里克・詹姆遜（Fredric Jameson）在他的《文化轉向》一書所論述的，如果說現代性還擁有崇高的美學的話，那麼後現代性則完全拋棄了崇高，拋棄了美的自律狀態，轉而推崇美所帶來的快感和滿足。

所以，後現代文學裏充斥着許多戲仿（Parody），對現代主義的經典著作的戲仿，對歷史的戲仿，對崇高的戲仿，這些戲仿有時並不帶有尖銳的諷刺意味，只是一種拼貼——用詹姆遜的話說，是一種空洞的拼貼。再者，以往現代主義中私人性的、驚世駭俗的、警世般的語言也已經被大衆化的後現代式的媒體語言所代替，視像文化的盛行已在不知不覺中改變了人們看現實的眼光，我們消費着文化，也被文化所消費。在被幻象所取代的生活裏，什麼是眞實的？什麼是虛假的？這時，我反倒感到「輕」的可怕了。

如果你問我對下一個千年有何期待的話，我的回答只能是逾越輕與重的界限，停佇在人類生命最原始的一種存在感，那是一種生靈在冥冥中能體會到的一種感動，通過這種感動，我們心靈得以相通。人們不必刻意地去追求自身的沉重感、天體的沉重感和語言的沉重感，但也別在千姿百態、姹紫嫣紅的視像文化中丟了對生命的感悟與責任。

最近我在今年第四期《讀書》中讀到一篇關於林徽因的文章，林的一段文字讓我對未來的期待充滿了感傷。她寫道：「在昏沉的夜色裏我獨立火車門外，凝望着那幽暗的站台，默默地回憶許多不相連續的過往殘片，直到生與死間居然幻成一片模糊，人生和火車似的蜿蜒一串疑問在蒼茫間奔馳……，世界仍舊一團糟，多少地方是黑雲佈滿着粗筋絡往理想的反面猛進，我並不在瞎說，當我寫：信仰只是一細燭香／那點子亮再經不起西風／沙沙的隔着梧桐樹吹！」

倘若有理想，倘若對未來有過多期待或過多的預示，我想結果都是渺茫的。我們想揭示世界的是哪一個表象？通過這種揭示對世界是否會帶來任何改變？我們是否能捕捉住人與世界自身的眞理？這些問題纏繞着以往千百年的作家，它們還會繼續纏繞着將來的作家。

（原載於《亞洲週刊》二〇〇一年第十五卷第三十三期）

命運交織的香港

爸爸：

這次在香港逗留兩個月，對你所論述的「香港的隱喻」很有同感。雖然我只是過客，卻也被香港所打動。在尖沙咀海邊觀賞對岸的一片輝煌，眞是心蕩神搖。天底下竟有如此奪目的燈光和迷人的建築！不過在我眼裏，香港更像是卡爾維諾筆下的「命運交織的城堡」，有燈紅酒綠，也有唉聲嘆氣；有邁向天堂的階梯，也有令人沮喪的股災；有摩天大樓的巍峨，也有狹小空間的壓迫感。各種政治、宗教、文化力量在此交織，展開較量。說香港是各種矛盾的總和，並不過份。

對香港的城市文化研究在學院派裏已逐漸形成一門「香港學」，與近幾年時髦的後殖民主義理論銜接，探討港人的身份認同、文化政治、地緣想像與都市空間。從這門學科的崛起，我們可以看到香港人處於中英夾縫中的不安與焦慮，而九七回歸後，所謂「香港意識」更是對大中國意識和民族話語的一種抗爭。只可惜學院派讓人覺得「香港意識」只是美國後殖民主義理論話語的附屬產品。相對而言，我比較欣賞李歐梵以「都市漫遊者」的角色對香港展開閱讀。「漫遊者」的角色類似本雅明（Walter Benjamin）所欣賞的閒遊人，生活在都市，可又與城市的喧囂保持距離，對他所眷戀的人群、都市和商品有着清醒的認識和批判態度。在香港這個講求效率、重視實利的商業大都市裏，很少有波德萊爾的波希米亞次文化人、本雅明情有獨鍾的閒遊人，或李歐梵那樣的知識漫遊者。人們大多被技術思維、商業思維所支配，在快速的節奏裏，主體已變得支離破碎，既無力再承受任何「重」的國家使命，也無暇停下腳步，津津有味地去尋找任何「輕」的、不帶商業氣息的「人文空間」。香港人的這種支離破碎絕對不是現代主義者所感到的徬徨困惑和主體的分裂，因爲後者的分裂是其主動對終極世界進行不懈地探求和叩問的結果，前者則是在商品充斥的社會中隨波逐流，失去了主動性。這種分裂狀態反映在情感生活和文化生活當中，便是情與愛的短暫與不可靠，眞與假的混淆使情感不像傳統的愛情那樣眞實。正如本雅明所嘆息的，我們不再是悠閒地走進作品中，不再有足夠的空間和時間審視作品與自我，在高科技的複製時代，我們只能被動地被圖像一次又一次震驚，讓圖像走進我們的身體，把完整的身心分割成片段。

香港常被稱爲「文化沙漠」，這種本質化的負面判斷，並不能眞實地反映香港的整體風貌。判斷者眼睛朝上，既看不起流行的大衆文化，又看不見與大衆文化交織的高雅文化與菁英文化。連王朔這位「痞子文學」的代表也看不起香港文化，這大約是他認爲「痞子文學」對政治權威和主流文化有着尖銳的穿透力和瓦解力，而港台文化卻一味討好大衆。我並不贊成這麼簡單地貶低香港文化，因爲我看到雅俗文化的交叉，看到俗中有眞金子在。我非常喜歡金庸充滿想像力的武俠小說，李碧華世紀末的故事新編，西西冷靜的女性寫作，王家衛才華橫溢的《阿飛正傳》和《重慶森林》，關錦鵬低迴婉轉的《胭脂扣》和《阮玲玉》，徐克波瀾起伏的《刀馬旦》、《東方不敗》及黃飛鴻系列。李安的《臥虎藏龍》在好萊塢的成功也使得美國的許多學者把目光移向香港。是的，香港的確藏龍臥虎，還有相當多被埋沒的文化精品等着人們去挖掘。

不過，香港文化確實太受商業的支配，太注重追求快感與滿足。關於「快感」的理論在大眾文化的研究中很盛行，以往法蘭克福學派對「快感」持強烈批判態度，認爲大眾文化通過感官快樂來麻醉人，使人們失去了獨立思考的能力。而約翰·費斯克（John Fiske）則給予「快感」全新的定義，認爲快感不是逃避，而是對社會權威與強制力量的一種反抗。費斯克反對把大眾看成是一個一成不變的、穩定的整體，而強調大眾的複雜性和生產性，也就是說，大眾在消費的同時，在生產快感的同時，對主導力量有隱蔽的對抗。我既不像法蘭克福學派那麼悲觀，也沒有費斯克那麼樂觀。我認爲快感像一隻小船，既能將我們駛向巴赫金的狂歡的小島，把規範化的高低之分與等級秩序顛覆，也會讓人消融，沉醉在快樂的河流中，懶於思想。就像其他後工業社會一樣，香港充斥着美學消費者，渴望着浮於表層的刺激，沉溺於物質世界，不想昇華，不想超越。在網絡時代，香港被無數的信息所填滿，但人文意識卻越來越輕，越來越淡。

我這個香港的旅遊者，眼光也交叉，既感到香港的迷人，又感到香港的不足；既愛香港，又想對香港指手畫腳。真要請勤奮的香港人原諒。

（原載於《亞洲週刊》二〇〇一年第十五卷第三十五期）

「芝加哥學群」的精神取向

爸爸：

一九八九年夏天，由於李歐梵教授的邀請，你到芝加哥大學進行講學與研究。同時在那裏的大陸學者還有李陀、黃子平、甘陽、許子東、查建英等，再加上原本就在芝加哥的鄒讜、李湛忞教授，以及常到那裏參加你們的學術講座的劉小楓、林崗、王曉明等，陣容相當可觀。一九九〇年初，我被科羅拉多大學東亞系錄取，途經芝加哥時，決定先留在芝加哥大學旁聽李歐梵主持的東亞系的研究生課程。現在想想，這半年於我是寶貴的，除了開始進入阿多諾、本雅明、巴赫金的文論世界外，還目睹了你和其他大陸學者在去國離鄉之際所經歷的一場心靈與精神上的蛻變。

你們這群學者初聚在一起，尚未擺脫「六四」事件的震撼，加上「戀鄉情結」與「救世情結」的折磨，情緒起伏，心事浩茫。不過，你們很快就靜下心來，進入精神生活。那時，你們的選擇所蘊含的意義就是尋找你所說的知識分子的「第三空間」。你們既沒有選擇回國，向權力靠攏，又沒有選擇加入海外民運，受制於另一種集體意志。你們選擇超越黨派，超越兩極對立，回到個人化的自由空間裏。面對這一關鍵性的選擇，你們似乎不謀而合，並戲稱自己這群人爲「芝加哥學派」。不過我認爲稱之爲「學群」比「學派」更合適些，因爲你們是群而不黨，群而不派。甚至這個群也只是個體的學術聚會，並不是有組織的群體。每個個體都是充分獨立的。

當時，許多出走海外的知識分子都生怕如果選擇中性的「第三空間」，不是遲早被時代和社會所拋棄，便是會得失語症。楊煉曾形象而透徹地表達過海外遊子的孤絕狀態：「因爲你的頭髮、皮膚和眼睛，你應當是幽靈。每天，出沒於沒有你的街上，避開一排排藍色的實體的人們。因爲你的語言，你沉默。沉到最深處時，讓自己消失。」許多人由於擔心失語，思緒仍舊牽掛着中心，無力逃出壓迫與反抗的二極對立模式。不同於這些人，你們甘心身處邊緣，不畏孤絕，退到充分個人化的內在世界，聚精會神地對中國的文化和歷史進行理性的思考和梳理。你所說的「高行健狀態」，正是這種邊緣狀態和內在狀態。在芝大的博士班討論會上，你們提出了許多重要觀念和命題，比如你提出主體間性、多重主體與走出西方理論陰影的問題，李陀提出毛文體的問題，黃子平提出評價實驗小說的問題等，這些問題又與李歐梵和李湛忞介紹的西方現代及後現代哲學思想和文學理論交叉，構成深刻的對話。我有幸參加了一個學期的討論會，被你們豐富的學術思索深深吸引。可以看出，知識分子的「第三空間」爲你們提供了一種立足、立心、立言之地，你們並非與世隔絕，也非遺忘歷史的傷痛，而是更冷靜地走進精神的深處。你的《人論二十五種》、《告別諸神》和《漂流手記》第一卷都是在那時開始結果的。後來芝加哥的朋友們雖然天各一方，但每個人都有所建樹。

如果離開中國現代史的語境，恐怕不能理解芝加哥學群選擇知識分子「第三空間」的艱難與重要意義，因爲在西方的知識分子世界裏，這一空間是天經地義的，可是在中國現代史中，由於政治的激進，「第三種人」、「第三條道路」或「中間地帶」總是被看成「另類」或「異類」，連古代知識分子那種放任山水的自由都沒有。在國共兩黨決戰之際，一群民主個人主義者不願意「一邊倒」，既不「革命」，也不「反動」，既不絕對「師法英美」，又不絕對「師法蘇俄」，只可惜在中國的實際政治環境裏，這種個人空間沒有生存的權利。一九四九年以後，兩個階級、兩條路線年年月月對峙，知識分子更是徬徨無地。

你提出的「第三空間」概念，強調的是知識分子的個別性與差異性，與哈貝馬斯的「公衆空間」實際上可以形成一種對話關係。哈貝馬斯的「公衆空間」看到的更多是公共性，是民間社會對國家權力的滲透，知識分子是行走於國家與民間社會之間的小卒，儘管他們可以起着相當大的作用。你則揭示了知識分子作爲個人的獨特性，不願認同文化統一理想的合法性，並要求社會承認知識分子這種選擇游離、選擇差異、選擇個體生存取向的權利。我想，首先得有你所說的第三空間，即首先知識分子的個體差異性和自由權利能得到尊重，多元的公衆空間才能實現。

芝加哥學群的故事已經過去十年了，可它的文化意義仍然存在。第三空間幫助了你們這群人重新定位，找到自己的角色和功能。時間證明你們選擇對了。

（原載於《亞洲週刊》二〇〇一年第十五卷第三十七期）

重新定義美國

爸爸：

我們期望二十一世紀能是一個和平的、「柔」的世紀，沒想到這個夢很快就受到邪惡勢力喪心病狂的打擊和摧殘。

在恐怖分子襲擊的前一刻，紐約世界貿易中心的兩座摩天大樓還披着燦爛的陽光，與紐約繁忙的人群一起迎接新的早晨。可這一天卻是毀滅性的一天，象徵着現代文明、象徵着美國的世貿姊妹樓竟然變成了煙塵籠罩的廢墟。無比壯麗的圖景，頃刻間蕩然無存。難道現代文明眞的如此脆弱嗎？難道眞如張愛玲所預言的，「有一天我們的文明，不論是昇華還是浮華，都要成爲過去」嗎？

九月十一日是美國史上最黑暗的一天。知道劫難的消息後，我和學生立即跑到電視機前，眼睜睜地看着濃煙中受害者無路可逃而絕望地從高樓往下跳的情景，眞是慘不忍睹，我感到從未有過的恐懼和震驚。華盛頓地區、馬里蘭地區和維珍尼亞地區在五角大樓被炸後立即宣佈進入緊急狀態。當時我馬上取消上課，讓學生們趕緊回家。第二天，馬里蘭大學停課，校長請所有教職員回校舉行祈禱儀式。第三天，我們雖然驚魂未定，但還是返回課堂。

回校後，面對學生們一張張悲傷、震驚、憤怒的臉，我不知應該從何講起。一位邊服役邊讀書的學生，走上來給我看他剛剛收到的命令，說他很快就要去打仗了，這時我心裏更是感到一陣失落。戰爭正在改變一切。美國的象徵被毀了，美國的理念被野蠻踐踏了，美國正在面臨重新定義自己的時刻。這一歷史性的悲劇事件深深地震撼着每一個美國人，媒體慨嘆「美國再也不可能跟以往一樣了」。這時我卻努力地去回憶幾天前的安寧，回憶當時我們並不懂得珍惜的和平和快樂，回憶輕鬆的笑聲以及一些日常生活的細節。於是，我跟學生們說，從這門中國現代文學課，你們可以看到，中國在上一個世紀經歷了一個接一個的災難，一場戰爭接着一場戰爭，這些戰火毀掉了人的日常生活秩序。我們應該懲罰恐怖野蠻，不懲罰就不足以維護人類尊嚴，但懲罰也是為了尋找回正常的生活。守住美好的一切，才是最好的反擊恐怖分子的行動。

應該如何重新定義美國呢？我向學生們提出了現在美國人廣泛討論的一個問題。神情仍然恍惚的學生們，表達的大多是愛國主義的情緒。而我跟他們說，作為一個並非土生土長的美籍華人，我希望美國的定義永遠是開放、自由與包容。美國的自由是無價之寶，而美國的繁榮則來自它的包容性和多樣性，正因為它的開放和包容，世界各地的人都嚮往美國，許多卓越的人才才落腳美國。雖然世貿大樓被摧毀了，可我不希望美國在重新自我定義時，反而倒退，回到狹隘的愛國主義和民族主義那裏，排斥少數族裔，尤其是美籍阿拉伯族裔。

一九四一年十二月的珍珠港事件後，美國曾經歧視在美定居的日本族裔；而這次恐怖襲擊事件後，阿拉伯族裔的美國人也受到許多騷擾，一些穆斯林的宗教聚會場所被人攻擊，而許多阿拉伯裔家庭收到各種各樣的恐嚇。這種情況下，美國人也許應該想想是誰構成了「美國」？美國人的結構和內涵是什麼？像我班上的學生，有白種人、黑種人、黃種人，每個人的皮膚、背景、文化各異，如果陷入狹隘的愛國主義，豈不是自己就瓦解了兩個世紀建構起來的美國社會本體和精神本體嗎？

另外，這次在美國本土，美國人親眼目睹了普通平民被屠殺的慘狀。可是，無論是一九九一年的海灣戰爭，還是其他美國扮演「國際警察」角色的事件中，電視上只看到關於美國軍隊先進的科技和精良的裝備，美國軍人傷亡極少的報導，但看不到故事的另一面，那就是敵方因爲戰爭而無辜死去的平民，他們的悲慘故事被深深地掩蓋住了。如美國學者阿里夫・德里克（Arif Dirlik）所批評的，美國媒體所製造的海灣戰爭的世界新秩序，一方是聰明的炸彈，另一方是愚蠢的中東人。似乎炸彈飛向的目標，只是無生命的設施而不是活生生的人，似乎他們的生命消失無傷大雅。値得注意的是，美國電視的觀衆們也從不去過問這些生命的消失。當美國人遭此大劫之後，除了想到報仇雪恥之外，是否還應當想到其他弱小民族無辜的生命呢？聽了我的這些問題後，我的學生們都沉默不語，陷入了沉思。

第四天，也就是九月十四日，美國全民都在爲死去的受難者們祈禱。我和黃剛、孩子也拿着蠟燭，來到門外，與鄰居們一起在黑暗中默默地禱告，希望這個世紀世界將充滿和平，希望美國在重新定義中放下弱點，但不要丟失二百年歷史所積澱的最美好的一面。

（原載於《亞洲週刊》二〇〇一年第十五卷第三十九期）

劫後美國文化的轉機

爸爸：

你說美國九月十一日恐怖事件可能使美國文學藝術的重心發生「從喜劇到悲劇」的轉折，倘若眞的如此，我認爲是好事。前些時我們討論過關於輕與重的問題，當時我感慨美國學生都有種「失重感」，太沉醉於輕的浮華的表層，無力承擔任何重的思想和責任。沒想到，恐怖事件很快就給美國藝術界和文化界一個「沉重」的教訓，迫使報紙和雜誌紛紛對美國文化的「失重感」進行檢討。

有位評論者在《紐約時報》撰文道，世貿中心的災難「剝掉了紐約層層的自戀與誘惑，把佔領這個時代的輕浮感一掃而光，留給市民的是悲傷和恐懼」。小說家布克萊（Christopher Buckley）更指出，「這是歷史上一個獨特的瞬間，一個文化圈的突破口。它有着去除淺薄無聊的巨大效果：我們難道還會津津樂道茱莉亞羅拔絲昨晚穿了什麼性感的禮服或沉迷於一個又一個電視頒獎會嗎？」新聞工作者David Halberstam則認爲當代美國人的享樂主義和自大情結已經走到了極限，現在國家正面臨一個漫長的黎明前的鬥爭。這種沉重感甚至蔓延到了美國的搞笑節目中，連晚間最受歡迎的脫口秀的主持人David Lettermen在他的節目中都笑不起來，甚至忍不住對着觀衆落淚。

難道這次災難眞的能夠改變美國的把一切都喜劇化的「輕浮」的大衆文化嗎？這種改變會給美國人民的日常生活帶來什麼變化呢？我們平時常常感嘆美國的大衆文化已經遍佈世界的各個角落，美國大衆文化所創造的「同一性」早已在潛移默化中「殖民」了其他民族的文化肌體，那麼，此次災難對世界文化格局又會帶來什麼影響呢？

我對美國的大眾文化一直是抱着批判的態度的。美國的大眾文化的「輕」首先迷失在對浮華的物質慾望的追求中，「物世界」壓倒「心世界」。青少年崇拜的「英雄」是大牌的笑星、歌星、電影明星和體育明星，追逐的是琳琅滿目的高檔名牌，羨慕的是性感的身體，欣賞的是輕鬆幽默的「肥皂劇」，夢想的是成爲億萬富翁。其次，這種「輕」還表現在缺乏對「眞實生活」的認識上。美國的媒體和好萊塢電影給大眾塑造了無數「虛擬」的影像世界，即使是世界末日，也不過是好萊塢電影裏夢幻的寫實主義和刺激性的商品。當我們進入了無所不包的群體的圖像世界中時，個人的「觀點」早已被整體的生活方式所淹沒，而眞實的生活也永遠丟失在虛構的影像裏。

美國有一部電影*Truman's Show*（港譯《眞人騷》，台譯《楚門的世界》），探討的就是這個關於虛構與眞實的問題。作爲個體的主角杜魯門生活在一個充滿詩意和陽光的小鎮，一切都是那麼美好和井然有序，實在沒什麼可抱怨的。可是有一天，他突然懷疑這個世界是假的，圍繞在他身邊的人們都是些演員。果然，他最後終於證實了這個猜測：他原來是「現實電視」（Reality TV）節目中的主角，那個小鎮是一個巨大的電視製作中心，有無數的攝像機天天監視着他的一舉一動。這個電影的寓意是，美國人就像杜魯門一樣，天天生活在圖像的虛擬世界裏——一個「失重」的虛假的美好空間中，與外界眞實的充滿磨難的生活失去了聯繫。

「九一一」事件不僅毀掉了美國的象徵，同時也擊碎了Truman's Show中的那個虛假而美好的小鎭生活。電視上不斷重播飛機撞上世貿大樓的一剎那，以及大樓倒塌的瞬間。這些鏡頭給人視覺上的震驚效果遠遠超過了好萊塢電影的想像。但這是活生生的而不是虛構的，這些災難就發生在美國的領土，就在自己身邊，而不是落後的第三世界國家，正因爲是眞實的，對文化界的衝擊才會這麼大。

美國文化藝術界如果眞能把九月十一日恐怖事件當作改善自身的歷史契機，是很有意義的。也許通過這次災難的衝擊，美國大衆文化會有新的氣象，會在紙醉金迷的物質世界中重建精神世界。

九月二十日，美國的許多著名的好萊塢演員一起義演募款，做了一個叫「美國：英雄頌」的節目。在這個節目中，他們講了一個又一個感人的發生在現實生活中的「英雄」的故事，爲大衆重新定義「英雄」：英雄不是笑星、球星，而是捨身救人的消防隊員和警察，是在飛機上與暴徒搏鬥的旅客和支持丈夫冒死搏鬥的妻子。看來美國大衆文化中是有了些「沉重」的感覺了，但願美國文化在災難中獲得轉機，獲得厚重，獲得深度。可是我們也不可抱太多希望，這種感覺很可能只是暫時的，傷痛也許很快又會被人們在「笑」中遺忘了。

（原載於《亞洲週刊》二〇〇一年第十五卷第四十一期）

憂患中的人性呼喚

爸爸：

上個星期，我讀到《紐約時報》的一封讀者來信，信中這樣寫道：「當我們突然不得不面對生死問題時，才發現這幾十年美國文化只生產了一些自我中心的、乏味的、無價值的藝術家。現在我們需要的是能深入人性思索的美國藝術家，通過平衡形式與內容，創造出像我們生存意志一樣堅韌的作品。」這位讀者講得很好，他指出了近幾十年來美國文化（尤其是大衆文化）的不足。

能發現自己的嚴重缺陷，自然是好的，但如何彌補不足，並找到新的文化支撐點，卻不容易。最近一些以紐約爲背景的電視劇就不知所措。其中一些劇目在表現紐約人最近的日常生活時，仍是採取逃遁的辦法，帶給觀衆一些勉強的笑聲。可是，在沉重陰影籠罩下的紐約人，此時的笑，已不像往昔那樣清朗，笑中或笑後總是有些酸楚和尷尬。有位電視製作者甚至還找到了愛國主義的理由，說在越戰中，搞笑的電視劇有着極好的市場，人們可以從國家危機中逃走，在笑中治療心理。但這樣笑的理由已沒有人相信。

整個美國大衆文化都是夢幻工廠。笑本來無可非議，但在嚴峻的生存困境和人生問題面前只是一味地笑，這笑就變成夢幻。最近美國文學界的一位小說新星Jonathan Franzen在他的新著《改正》（*Corrections*）中就揭示了當代美國文化的危機。他對現代社會流行的心理治療提出質疑，因爲現代人所仰仗的各種名目的「治療」（包括笑）根本無法眞正觸及人內心的傷痛與世界的傷痛。在小說中，他發出了這樣的具有人道主義關懷的聲音：「如果你沒有能力想像其他人的生活有多麼艱難，你又怎麼能夠允許自己呼吸，更不用說允許自己笑，或睡好吃好了？」美國人要從夢幻中走出來，雖不容易，但也不是沒有基礎。事實上，美國文學歷史中並不缺乏具有人性深度的思考，比如傑克‧倫敦（Jack London）的人與自然的搏鬥，海明威的硬漢文學，福克納的南方風情，德來賽（Theodore Dreiser）的現實主義，索爾‧貝洛（Saul Bel-low）的中產階級知識分子的苦悶和托妮‧莫里森（Toni Morrison）的黑人女性的吶喊等等，都對人性問題與生存困境進行過深刻的思索，只是這些思索被一味追求娛樂的大衆文化潮流衝到角落中去了。其實這些嚴肅文學恰恰負載着美國的靈魂和美國文化的根性。美國文化的「救贖」實在用不着去找新的「救主」，如你所說，回到傑克‧倫敦、奧尼爾和福克納等，就是回到最堅實的文化支撐點，回到近幾年來文學界淡忘的「人」的問題上，回到對人的尊嚴、人的價值和人的生命的深切關懷上。

福克納在接受諾貝爾文學獎時所作的演說，有一段話美國人似乎遺忘了。這是一段極其重要的經典話語，我認爲它正是美國文學的靈魂。今天，在美國文學和文化徬徨於歧路的時候，它應當成爲燈火、成爲號角、成爲作家的心靈參照系。我希望福克納的聲音能傳播得更廣，能在文化的中心地帶化作強音。福克納說：

充塞於創作史空間的應當是指示人類心靈深處從遠古以來就存有的真實情感，這古老而至今遍佈在心靈的真理就是：愛、榮譽、同情、尊嚴、憐憫之心和犧牲精神。如果沒有這些永恆的真實與真理，任何故事都將如朝露，瞬息即逝……。人是不朽的，這並不是說在生物界唯有他能留下不絕如縷的聲音，而是因為人有靈魂——那使人類能夠憐憫，能夠犧牲，能夠耐勞的靈魂。詩人和作家的責任就在於寫出這些，這些人類獨有的真理性、真情感、真精神。詩人和作家所能給予人類的就是借着提升人的心靈來鼓舞和提醒人們記住勇氣、榮譽、希望、尊嚴、同情、憐憫之心和犧牲精神，這些人類昔日曾經擁有的榮耀，以幫助人類永垂不朽。

我一直都很佩服福克納作爲一個傑出的現代主義作家的精湛技藝，在小說中他廣泛使用了多角度敍述、意識流、蒙太奇、神話模式、象徵隱喻等小說敍述的新手法，然而我更佩服他敢於擁抱這些「傳統價值觀念」的勇氣，以及他對重建人的價值觀念所作的努力。如他所反覆強調的，他幾十年的創作都是在寫「人」，在藝術地表達他對人的信念，探索在現代社會的荒原上如何重建人的價值觀念。在今天人被機器、被語言異化的時代，也是被劫難所打擊、被夢幻所痲醉的時代，福克納的聲音顯得特別有價值、有遠見。福克納的呼喚，是正直善良的人類內心的共同呼喚。無論是立足於哪一種文化的作家，只要關懷人和關懷人類當今的困境，一定會和福克納產生共鳴。

（原載於《亞洲週刊》二〇〇一年第十五卷第四十三期）

世俗化喧囂中的孤寂思索

爸爸：

我們正處於一個日趨世俗化的時代，人類精神世界的完整性已不復存在，二十世紀八十年代的啓蒙理想和形而上衝動，已成爲被調侃的對象，王朔「千萬別把我當人」的宣言鋪墊了當下時興的玩世、遊戲、滑稽的基調，「潑皮藝術」、「波普藝術」、性和身體的狂歡、犬儒主義的逃避、明星般美女作家群的「身體寫作」，在不知不覺中匯成了文化界主流。當我們還未看清這幅光怪陸離的景象時，就已經身不由己地被一片反崇高、反理想、充滿雜耍式的喧囂聲淹沒了。

在今年的《萬象》雜誌上，批評家吳亮陸續介紹了幾幅大陸年輕畫家的作品，其中裴晶的畫給了我很深的印象。裴晶的幾幅畫的背景基本上都是典型的後現代式的「拼貼」——不是「文革」時期的毛主席像章和資本主義的麥當勞並置，便是雷鋒的肖像和瑪麗蓮・夢露的明星照並置，要不就是解放軍手裏的衝鋒號和時髦女郎手裏的樂管並置。所有這些毫不相干的排列都是爲了映襯幾位美麗、快樂、領時代風騷的女郎。這些女郎全都煥發着令人羡慕的青春氣息，可她們的眼神，皆一味的空洞、無神、平庸，很像朱天文的小說《世紀末的華麗》中的女模特兒。用吳亮的話說，裴晶的畫並沒有什麼太大的意思，倘若有的話，那便是「浮華、短暫、易朽、低智、無深度、輕鬆、艷麗、俗趣、調侃、對比、戲仿、時髦、慾望、快樂、不思考」。

裴晶的畫很有日本浮世繪的特點，是日常生活中享樂的記錄，畫的是平民的奢華，而不是貴族的奢華。須蘭有幾句談日本浮世繪的話講得很透徹，她說：「浮世繪的人物是沒有表情的，但卻有着一種奇異的美麗。如同偶人製作一般，在完善的技藝中，人的因素全部被減去了，捨棄了，留下的是氣韻、線條、顏色、構圖。浮世繪的無情即是千種風情。」而裴晶畫筆下的中國浮世繪，除了人物的「無情」和「千種風情」外，背景中雜亂的歷史和政治符號的堆積與對立，又是對這種日常「愉悅和華美」的不痛不癢的反諷。這些畫眞正代表了我們的時代，連反諷也沒有什麼穿透力，是爲了反諷而反諷，它本身也成了一種戲謔的姿態。

中國知識分子在這種歷史圖景下的尷尬地位是不言而喻的，就連王朔這個最早擁抱文學商品化的「弄潮兒」，最近也表達了他的失落感。在與老俠的對話錄《美人給我蒙汗藥》中，他談到他與馮小剛的不同立場。雖然都是「搞笑耍貧嘴」，王朔覺得他的「喜劇」有個性，有諷刺官方話語和虛僞道德的力量，而馮小剛則只是爲「搞笑」而「搞笑」，是完完全全屬於大衆的東西。在中國文學界，王朔恐怕是最早把文學與電視劇這種大衆文化的製作形式結合起來的作家之一，並由此而大紅大紫，然而，正因爲如此，當他想撇清自己與大衆絲絲縷縷的聯繫時，反而越發顯得尷尬。

那麼，作爲知識者的我們，對待大衆文化時應該採取什麼姿態呢？有一種姿態是擁抱式的，像英國的理論家斯圖爾特・霍爾（Stuart Hall），是以欣喜的目光來看待大眾的日常生活的。他在消費主義與快感文化中看到建設性與生產性的一面，看到多元的大眾文化爲少數民族開發了更多的活動空間。我覺得這種過於樂觀的態度缺少批評性，容易把任何受大眾歡迎的消費品都視爲一種對權威的對抗。還有一種是居高臨下式的姿態，像美國女批評家蘇姍・桑塔格（Susan Sontag），刻意地守住高雅文化的領地，以曲高和寡的孤獨姿態頂風而立，即使是評介大眾文化，也是從高級的藝術趣味向下凝視。這種姿態很顯然是在固執地疏遠人群，不肯融入世俗化的世界。桑塔格的這一菁英姿態過於看重高雅文化和大眾文化的界限，並對現代主義的思想過於依賴。她也參與社會批評與政治批評，如「九一一」事件後她也寫文章批評美國，但我覺得她在此次批評中的姿態有點做作，像是「象牙塔裏的菁英姿態」，說話時似乎忘記眼前堆着紐約的五千具屍首，聲音顯得縹緲。

再有一種姿態是法國詩人波德萊爾在街頭找到的拾垃圾者的形象，這也是詩人的形象。他們在城市沉睡時，孤寂地收集着被大都市拋棄的東西，並分門別類地存放起來。德國思想家本雅明非常欣賞這種姿態，因爲他和波德萊爾一樣，既迷戀街頭的人群，又在人群中保留了「轉身的餘地」，不放棄自己在哲學層面上的思考。

在「世俗之城」中，唯有保持一定的距離，才能既在大衆文化中漫遊，又不迷失思想者自我。波德萊爾曾說：「誰不會使孤獨充滿人群，誰就不會在繁忙的人群中獨立存在。」正如你，「面壁」是爲了在浮躁的都市中建立起個人的「精神之城」，但仍然關懷社會並做出評論。李歐梵叔叔也是這樣，既面對自然之海，也面對社會之海。這種「精神之城」就既是個人化的，又是社會化的。你的「達摩之洞」既是小房間又是大人間；既是小洞穴，又是大宇宙。洞中的你，既是專業者，又是業餘人——走出專業圈子的業餘人。我想，這倒是知識分子應有的角色。

（原載於《亞洲週刊》二〇〇一年第十五卷第四十九期）

主宰語言還是被語言主宰

爸爸：

我身邊都是些嚴謹認眞、踏踏實實做學問的學者教授，連一個小小的註釋也要花費許多心血，所以，你所說的「語狂」現象彷彿離我比較遙遠。美國這個國家，確實如你所說的：沒有瘋狂的土壤。無論是做事還是言論，都比較平實，這是他們奉行「實用主義」理性的結果，還是他們建國後兩百多年形成的國民性，或是他們在教育普及下形成的生命素質？我還沒研究清楚。但有一點是清楚的，美國是以法治國的，法律比較完善，如果眞有「語狂」者傷害人身到觸犯法律的程度，他們會被起訴。事實上，美國人受到不被語言暴力傷害的法律保護。

不過，「語障」現象在我周圍倒是無所不在，已經嚴重地影響了學院派的思維，我自己便曾深受其害。剛剛來到美國時，美國漢學界正在發生巨大的變化，一些年輕學者把許多時髦的西方理論引入到對中國問題的研究中，此舉的意義當然十分重大。不過，弊病也不小，儘管新鮮的西方理論給漢學界帶來了煥然一新、五彩斑斕的面貌，可這只是表象，中國的語境在這些借來的寶石的眩光裏已變得殘碎不全，面目全非，眞正具有原創力的作品所剩無幾。當時還在讀學位的我，彷彿掉進了概念的迷宮，像新一代的「追星族」，在刻意模仿中丟失了自己的個性和獨特的思想。

在去年由王德威老師主持的一個學術討論會上，有一位叫亞歷山大・弗格斯（Alexander Des Forges）的美國年輕學者語出驚人，認爲美國漢學界的中國現代文學研究有一種嚴重的傾向，一種對「文學現代性」的「戀物癖」傾向。借用佛洛伊德的「戀物癖」理論，弗格斯認爲，自二十世紀六十年代夏志清先生的《中國現代小說史》起，美國漢學界所迷戀和依賴的幾個重點大詞彙中「現代性」是最突出的一個。文學現代性常常被定義爲是與傳統的一場「裂變」，始於「五四」時期。

由於以西方的文學經典爲參照系，早期漢學家不得不時常爲他們所研究的中國現代文學中的「次等作品」道歉，感嘆中國的偉大作品少之又少。七八十年代的漢學家比較注重對經典研究的超越，開始注意「五四」以外的一些時期，如晚清、「五四」以外的民國時期，以及八十年代等等，在研究方法上也注重中國現代性與西方現代性的區別。不過，弗格斯批評道，這些對「五四」經典的擴展與超越研究，卻仍是順延「戀物癖」的邏輯和思維，仰仗於一兩個與「現代性」相關的詞彙，來描述各種現代文學現象，如「翻譯現代性」、「壓抑現代性」、「延遲了的現代性」、「性別現代性」、「中國現代性」、「半殖民地現代性」等，這些在現代性一詞加上前綴與後綴的學術著作，好像在質疑現代性，又像在肯定現代性，讀者進入不了文學自身的「眞問題」，因爲全被「現代性」這一概念所「隔」。然而，這一系列著作使我們感到困惑，是否「文學現代性」本身從根本上就是有問題的？是否這一「戀物癖」本身反映了學者們自身的混沌狀態？

弗格斯批評的「戀物癖」，也可說是「戀語癖」。戀「現代性」這一概念的確已經成爲研究中國現實問題的學者們的一種怪癖了。當初學者們提出「現代性」還是很有必要的，它對我們解釋中國問題還是有幫助的，但是後來當整個學界無論什麼現象都用「現代性」去套、去闡釋時，它就有如「萬金油」那樣。我也曾有過這種「癖好」，好像當初到美國深造，就是爲了這一堆概念。大概念本是通向眞理的工具，現在卻變成我肩上的重擔，甚至成了眼中的「障目之葉」。「現代性」、「現代主義」、「後現代主義」、「後結構主義」、「後殖民主義」，每次思考一個新的學術問題都碰到這些大詞彙橫在眼前，立在路上。先要消耗大氣力來定義一下大概念才進入問題，而尚未進入問題之前，已精疲力竭。以「現代性」這一概念來說，它是時間概念，還是精神層次概念？它與「現代化」的概念何處重疊何處區分？它與「現代主義」又有哪些異同？它與「古典性」對峙，還是與「當代性」對峙？它與世俗性、庸俗性又是什麼關係？先說清這些就首先落入陷阱迷宮。這些概念確實構成你所說的「覆蓋層」。其實，一個概念大到難以界定的時候，這個概念就很可疑。

爸爸，我覺得你在上篇文章裏提出了一個很重要的問題。如果說二十世紀是一個語言學的世紀，那麼二十世紀同樣也是一個語言危機的世紀。其實，拉康、德里達都看到了語言的局限性，但都沒有提供解決的辦法。當語言不能表達人類困境而只是空洞的泛泛之言，或是空有華麗的概念的外表時，語障便不只是學界的問題，而是整個人類的困境。當人已經不能主宰語言，而是被語言所主宰時，剩下的除了虛無還有什麼？當這種虛無狀態走到了盡頭，人們又如何能找到內心充實的力量恢復對生命的熱愛和恢復心與心之間眞誠的溝通？也許正如你所指出的，只有回復到人的原點、回歸到人的基本生存問題才是出路。

（原載於《亞洲週刊》二〇〇一年第十五卷第四十七期）

阿富汗女人的面紗

爸爸：

最近在美國的報刊和雜誌上，看到了許多阿富汗女人揭開面紗的照片。有一張登在《今日美國》的照片尤其感人：在一群仍然披紗蒙面的女人中，有一位勇敢的阿富汗女性，掀起了她的面紗，她那姣好的臉容和會心的微笑深深地打動了我。觸動我的是她的勇氣，即使不知道將來還會面對什麼樣的命運，爲了享受這一瞬間的歡樂，她也就什麼都不顧了。這張照片中，包着面紗的臉與揭開面紗的臉，神秘的臉與帶着陽光微笑的臉，形成強烈的對比，而在這一對比的背後，包含着人類多少矛盾、焦慮和困境？我不由得爲阿富汗女人的命運感歎，希望有一天她們面紗內外的臉不再是文明衝突的符號，希望她們能發出自己的聲音，也不再成爲男性政治的標籤，不管這標籤是「壓迫的」還是「解放的」。

在阿富汗這樣一個男權主宰的國家裏，大漠孤煙的景色是那樣富有雄性，那種壯觀與粗獷不屬於女人，於是，女人沒有面目，只有面紗。她們生活在自己的布卡（burka，包頭長袍）裏，布卡是監禁她們的圍牆。當今影壇描寫阿富汗女人的電影不多，難得的是第五十四居康城國際電影節的Ecumentical評審團大獎的得主是一部關於阿富汗女人的伊朗電影《坎大哈》。影片講述一位已移居西方世界的原阿富汗記者Nafas，爲了營救她不甚忍受痛苦而打算自殺的妹妹，冒險沿着當年逃亡的道路重返阿富汗。導演莫森·馬克馬巴夫（Mohsen Makhmalbaf）在他的書裏寫道：「爲什麼每個人都在爲佛像被毁而大聲疾呼，卻聽不到如何幫助阿富汗人擺脫饑荒的聲音？難道佛像比人的生命更珍貴嗎？」是啊，爲什麼在「九一一」事件之前，西方媒體關心的更多是佛像的被毀，而忽視生活在黃沙地獄中的女性與貧苦的阿富汗人呢？為什麼去拯救妹妹的只有同樣是阿富汗女性的Nafas呢？代表着現代進步文明的西方社會為什麼以往對阿富汗女人的苦難熟視無睹呢？

在「九一一」事件之前，我們還很難想像這些阿富汗女人會得到「解放」，看來她們是這次事件最大的受益者。如果不是因為這一恐怖事件，美國絕對不會去理睬這些被布卡從頭到腳包裹起來的阿富汗女人。這些對苦難早已麻木的女人，這些生活在男權統治下而幾乎窒息的女人，代表着塔利班政權的落後與野蠻，而她們的解放，現又成了布什政府的政治籌碼。所以當我看到她們掀開面紗時，我不由自主地為她們的「解放」而歡呼雀躍，但也同時為她們解放後的命運擔憂：她們會不會只是美國政治的裝飾品？

塔利班政權對男人鬍子和女人面紗的嚴格規定很容易令人聯想起晚清中國男人的小辮子和中國女人的小腳。當然，鬍子與小辮子更具政治內涵，而面紗與小腳的性別標誌遠遠超過其政治標誌。不同的是，一部分阿富汗女性在幾年前曾享受過現代文明的好處，那點好處後來被極端的伊斯蘭教信徒活生生地剝奪了，她們不僅淪落為男性政治的奴隸，還淪落為男性宗教狂熱的奴隸，以及男性身體的性奴隸。不像晚清時期的女子，由於尚未嘗到現代文明的滋味，還有待啓蒙，還在纏足與放足間猶豫不決。這些阿富汗女子曾經擁有過獨立的工作，後又被迫回到愚昧中，那種難受的滋味眞是讓人難以想像。

女性解放歷來是現代話語的重要組成部分。晚清時期，關於「國民之母」的討論曾經成爲社會的主要話題之一。晚清學者金天翮有一段著名的說法：「女子者國民之母也。欲新中國，必新女子；欲強中國，必強女子，欲文明中國，必先文明我女子；欲普救中國，必先普救我女子，無可疑也。」在西方文明的壓力下，中國女性的地位第一次被提升到與「民族國家」和中國文明同等重要的高度。雖然女性無形之中成了國家神話的載體，但女性也因此而獲得時機，大談男女平等，以及女性的自尊自重等問題，爲「五四」時期的個體解放開了先河。阿富汗女性的命運也一樣，現在她們成了西方扶持的「新國家神話」的載體，然而不管這後面包含了多少西方文明與伊斯蘭文明的衝突，多少種族與政治的衝突，她們重新獲得了獨立和「拋頭露面」的機會，她們的被「解放」與她們苦難的經歷一樣，是眞實的。她們現在可以自由地放風箏，可以重回電台工作，可以勇敢地直面世界，這些細節中所包含的喜悅早已越出了男性設置的權力與意識形態的範疇。作爲一位女性，我被阿富汗女人的喜悅所感染，這時我只想分享她們的快樂。不管她們是自己拯救自己，還是被美國拯救，只要她們能夠不再被面紗所監禁，不再被男人囚鎖在家中爲牛馬、爲性工具、爲生殖機器，我就爲她們感到高興。不過，她們被解放後需要面對的問題還有很多很多，現代文明給女性帶來的解放歷來都是伴隨着各種各樣的代價與困境的。在新的環境裏，我希望她們盡快找到自己的聲音和自己的獨立價值，不再做任何政治意識形態的符號，讓掀起面紗的臉充滿個性和活力。

（原載於《亞洲週刊》二〇〇一年第十五卷第四十五期）

身體書寫的末世景象

爸爸：

我在前幾期的《亞洲週刊》上看到有關十七歲少女春樹的《北京娃娃》的報道，顯然這部備受媒體關注的小說又是女性身體寫作的延伸。我同意有些讀者的反應，媒體不應該一味炒作這類「驚世駭俗」的身體寫作現象，而是應該多給予一些中肯的批評。

女性寫作回歸身體，本來無可非議，正如女作家徐坤所說的，「男人們受引誘去追求世俗功名，而女人們則只有身體，她們是身體，因而更多地寫作。」但是當女性身體寫作成了商品炒作的對象時，它的商品性則遠遠大於對女性自身的認同，它在俗世間的隨波逐流則遠遠大於其社會叛逆性。瘋狂的、過滿過溢的、肆無忌憚的女性身體寫作已經構成了末世的一大景觀：赤裸的性感的身體是追求名利的手段，更是內在匱乏的表現。

回顧上個世紀中國現當代文學，小說家在表現自己與世界的關係時，也常常通過身體來思考。關於女性身體的故事，更是層出不窮，它可以是國家神話、政治意識形態、倫理道德、性別之爭、時代精神等等的載體，也可以是一個純粹的感性之源，訴說着個體經驗與私人空間。然而，不論是男作家還是女作家的身體寫作，都不乏社會與歷史針對性，身體的內涵並不狹隘。

男作家在表現身體時，比較「外化」，身體承載的國家和社會意義比較沉重。比如晚清時期的小說《女媧石》，女虛無黨和女科學家的身體是國家神話的載體。五四時期與三四十年代的作家，紛紛描寫被壓迫、被欺凌的下層女性身體。魯迅的

《祝福》、柔石的《爲奴隸的母親》、老舍的《月牙兒》等等作品都通過下層女性被迫害的身體來暴露社會的黑暗。這些作家讚美勞作的身體，同情忍受苦難的身體，爲男權社會中的弱勢群體大膽直言。下層女性身體與其說是政治意識形態的載體，不如說它們眞實地反應了現代作家的倫理道德感。在我們這個浮華的時代，這樣的身體描寫已經不復存在。這代表的是社會的進步，還是知識分子的冷漠？代表的是新科技時代對知識的高揚，還是人們倫理感與正義感的喪失？

現代文學的女作家在寫女性身體時則比較「內化」，她們更重女性身體與現代社會複雜的關係，比較重視女性的心理描寫。比如丁玲的《莎菲女士日記》雖然赤裸而細膩地表現了女性對自己身體的認識，大膽地肯定了女性的慾望，結尾卻揭示了現代女性在現代性愛中異常失望的複雜心情。白薇則更加悲觀，她的自傳體小說《悲劇生涯》把自己寫成了現代性愛的犧牲品。由於從她的丈夫楊騷那裏染上了性病，她的身體成了自己的牢獄。即使她想追求進步，革命隊伍卻無法收容她那有病的身體。她唯有在貧困、孤獨、病痛中苦苦掙扎。在這些現代女作家的寫作中，女性身體對社會及性別秩序的批判和反省是非常深刻的。

文革時期女性的身體承載的是毛澤東和共產黨的「階級鬥爭」文化，性描寫成了敏感的話題，成了禁區。於是八十年代以後的小說，爲了顛覆「無性之性」，紛紛選擇表現身體的快感、慾望的解放。我們看到的是肉體的狂歡，是對肉體的渴望，對思想與主義的厭倦，對理想精神的幻滅。處處是「豐乳肥臀」，處處是高潮體驗，那種身體的顫慄與極致是反抗壓抑的手段。女性對自己身體的書寫從王安憶的「三戀」到陳染、林白的小說，都基本上把女性的性意識當成反叛秩序和主流社群的文本策略，與自己的身體廝殺。揭示隱私，是在揭示自我與世界的障礙，質疑男權秩序與重申女性的立場。到了世紀末，衛慧、棉棉、九丹等「美女作家」的身體寫作，雖然在表面上是反抗的，骨子裏卻是媚俗的，是純粹追求快感的——自我放縱的快感，自我釋放的快感。吸毒、性交、搖滾、另類方式、身體放縱構成了末世的頹廢現象，激情不再，有的只是自我麻醉、昏暗、無法自持。女性身體與都市的聯繫，既迷人又傷痛，既華麗又荒謬。

這類身體寫作也有其複雜的一面：它在某種程度上肯定了女性對慾望的追求與把握，在自我沉溺中反觀都市的沉浮；然而，它對商業社會毫無批判的認同，以及它對身體快感的縱情描述，把女性重新推回商品的行列。換句話說，強調女性身體的生理性，本來可以張揚女性寫作的特點，但是，其陷阱是，它也會更加認同商品社會對女性角色的規定，女性因而被降低爲永遠是生理的，永遠是不會思想的，不再反省自身，不再批判社會，永遠是脂肪的堆積，是快樂的肉身。表面上，它似乎質疑男權秩序並強調自己的女性寫作立場，然而實際上卻是以妖嬈的姿態迎合男性社會對女性的規定，抹殺女性心理更爲複雜的層次。

重新閱讀身體，我們會發現它與我們息息相關的世界是如此的緊密。身體有時是警世的，有時是諷世的，有時卻是毀世與末世的。它毫不隱諱地暴露着歷史與時代的傷口，也毫不遮掩地展示着書寫者的主體與靈魂。它可以是女性解放的出路，也可以是女性解放的陷阱。

（原載於《亞洲週刊》二〇〇二年第十六卷第三十四期）

輯四：讀書視角

論金庸小說中的性別政治

對金庸作品有興趣的學者，通常會發現很難用任何本質化的概念來描述他的寫作。金庸寫作的非本質化，表現於其遊離於「雅」與「俗」，傳統價值與現代價值之間。這種遊離性瓦解了一切簡單的「二分法」，迫使我們不得不對原有的文學或文化批評體系進行重新思考。由於性別政治最容易表現金庸寫作中的「遊離性」立場，本文嘗試從性別政治的視角出發，來討論金庸作品中複雜的多元文學價值，以及「全球化」和「地方化」的文化身份與認同等問題。通過探究金庸小說中「陰柔」與「陽剛」兩種性別政治的表達方式，本文一方面揭示金庸寫作使鴛鴦蝴蝶派這一文學線索變得更爲「現代化」的事實，另一方面討論其抗爭被納入全球性之「現代化」話語的文學與文化意義。

一

「江湖」是武俠小說所獨有的活動空間。江湖兒女在這一文人虛構的空間裏，總是匆匆忙忙地尋覓與奔波着，被江湖塑造，也塑造着江湖。在晚清的小說中，俠義小說之盛行是爲了對抗「滿紙情香粉艷」的才子佳人小說而產生的。[1]顯然，前者宣揚的是一種陽剛的正義之氣，後者則浸淫於陰柔的情愛甚至是「狹邪」世界裏。即使清末武俠小說開始注重「兒女英雄」的模式，「女俠大多只是男俠的『幫手』而不是『情侶』」[2]，或如文康的《兒女英雄傳》把男女之「情」硬生生地套在「忠孝節義」的大道理中。雖然晚清小說家們都認同文康的說法——「殊不知有了英雄至性，才成就得兒女心腸；有了兒女眞情，才做得出英雄事業」[3]，可是他們都盡量避免陷入纏綿悱惻的風月傳奇中，而極力張揚英雄的陽剛之氣。自三十年代以來，武俠小說在不斷的演變中開始重視「情」的因素，發展到五十年代以後的新武俠小說，「情」更是成為這一文類的重要標誌之一。④然而，這一現象是否意味着武俠文類開始以「陰柔」對「陽剛」的滲透來瓦解正統男權社會秩序？在金庸的文本中，他是如何具體定義「陽剛」與「陰柔」的表達形式呢？他的定義與漢語傳統寫作及其文化身份認同又有什麼內在聯繫呢？

金庸擅長寫「情」。在他的小說中，最引人入勝而又最驚心動魄的「情」，莫過於「情癡」與「情毒」。有意思的是，金庸筆下的「壞女人」、「惡女人」，或「怪女人」大多是情癡與情毒的直接受害者。《神鵰俠侶》中美貌的赤練仙子李莫愁之所以變成心狠手辣的女魔頭，歸根於她在初戀上的失意；公孫綠萼的母親裘千尺由於在「情」上吃了苦頭，而變得陰森古怪，滿懷怨毒；《天龍八部》中貌似「神仙姊姊」的蔓陀山莊王夫人，遷怒於情人的不專情，動不動就將男人殺了做花肥；身為武林前輩的天山童姥與李秋水，為了爭奪共同的情人而不擇手段地互相殘殺；《射鵰英雄傳》中的鐵屍梅超風修習陰毒的「九陰白骨爪」，以致殺人無數，殘害無辜，起因是為了逃避師父對她和師兄私通戀情的懲罰；《碧血劍》中的五毒教女子何紅藥因「金蛇郎君」移情別戀而百般狠毒地折磨他，變成了兇狠的復仇女神。「情」使得這些女子變得陰毒、兇狠和怪異；她們的變態皆是因爲中了「情」毒。絕情谷中嬌艷無比但又能致人於死地的情花，便是「情毒」最好的象徵。這一象徵既與中國古典文學的言情傳統有着千絲萬縷的聯繫，又散發着現代表現手法中常見的詭秘氣息。

《紅樓夢》以來的中國古典浪漫文學傳統，有關「情癡」與「情毒」的描寫比比皆是。似乎情不癡、不毒，就不足以達到一定的美學效果。中了情毒的女子，如《紅樓夢》中的林黛玉不惜自怨、自傷與自毀，把自己義無反顧地投入死亡的懷抱中。晚清的狎邪小說把「情毒」移植到青樓的風月言情中，產生了一批黛玉的忠實追隨者，如《花月痕》的劉秋痕毅然以身殉情，《海上花列傳》的李漱芳不惜慢性地摧殘自己的身體，直至死亡。民國時期的鴛鴦蝴蝶派，如徐枕亞的《玉梨魂》亦延續了這充滿病態與死亡的情癡與情毒。⑤ 這一「自虐型」的陰柔美學，在五十年代至七十年代的大陸文壇，雖被一片「向陽」的革命文學所取代，但在香港創作的金庸卻進一步地將其繼承與發展。他小說裏的「壞女人」行事毒辣，充滿邪惡，不僅殘害他人，也殘害自身。比如梅超風所練的「九陰白骨爪」就是一門容易導致走火入魔的武功，可她爲「情」已走到絕路，也不在乎自傷不自傷了。這些危險的女魔頭最終都逃離不了死亡，而且她們的死基本上是「自虐型」的。金庸對赤練仙子李莫愁最後的自盡場面描寫得非常動人心魄：李莫愁自知她所中的情毒無藥可救後，縱身投入熊熊的烈火中，在淒厲的歌聲中自絕。她一生誤入情障，越陷越深，無以自拔。最後天生狠惡的她，無意中殺了唯一有希望治癒「情花之毒」的天竺僧。這一舉動的隱喻是深刻的：她潛意識中自甘忍受情毒的折磨，自願被情毒死。

金庸在繼承「情毒」傳統的同時，又揉入了西方歌德小說中所常見的鬼魅、陰森、古怪的神秘氛圍。《簡愛》裏的瘋女人那匪夷所思而又恐怖之極的瘋笑，似乎在金庸所塑造的「惡女人」和「壞女人」的群像中有了迴響。女魔頭李莫愁在殺人前，總是事先在那人家中牆上或門上印上血手印，製造恐怖的「鬼」氣。然而，最讓人感到恐怖的是，這位擅長發毒針的魔女在殺人不眨眼的同時，卻是「神態甚是悠閒，美目流盼，桃腮帶暈」，面露微笑，並時常唱着輕柔的歌——「問世間，情是何物，直教生死相許？」她的嬌艷美麗給她的陰毒增加了幾分弔詭的色彩，令人不寒而慄。而被江湖中人稱爲「鐵屍」的梅超風，更是終日與「屍體」、「骷髏」爲伍，令讀者常常無法區分她是「人」還是「鬼」。梅超風的標誌也總是三座品字行的骷髏堆，每堆有九個骷髏。這有如凶神惡煞的女人每次出場，都讓人毛骨悚然，聯想起「死亡」與「地獄」。金庸細膩的描寫，既是超幻的、鬼魅般的，又是現實主義的；他所營造的「鬼」氣，把中國古典浪漫文學中常常出現的「女鬼」融入現代的描寫手法裏。再者，由於這些令人感到陰森可怖的鬼氣與「壞女人」、「怪女人」的內心變態有關，他又因而得以把現代主義的「變形記」帶入通俗的武俠文學類型中。

在金庸的「變形記」裏，危險女性內心的變態與她們身體的傷殘相得益彰。「怪女人」裘千尺被丈夫挑斷手足筋脈、廢去武功，被囚禁在地底的石窟裏，獨自過了十多年。當她的女兒再度見到她時，首先被她哭不像哭、笑不像笑的淒涼笑聲所嚇到，以爲遇到鬼怪。裘千尺不僅外型有巨大的變異，她的內心更加變態：說話瘋瘋癲癲，萬事不近人情，脾氣古怪跋扈。從她以「絕情丹」要脅救命恩人楊過、設計報復負心丈夫等細節，我們可以看到金庸對她心裏的變態進行的精彩刻劃。另一位「怪女人」天山童姥的身體更加怪異。由於情敵李秋水的陷害，她的身體永如女侏儒，不會長大；最奇怪的是，她所練的武功，會使九十六歲的她每隔三十六年返老還童一次，神態長相與八、九歲女童無異，就如「借屍還童的女鬼」。之後，她需要每日生吸動物之血，才能逐漸恢復原狀。這種身體上的變形與畸形導致了她內心的變態，平日乖戾陰狠，在三十六洞洞主、七十二島島主的身上種了令人痛苦難當的「生死符」，以挾持衆英雄爲她所用。總之，這些生理和心理上扭曲變形的「惡女人」是現代版的「情毒」產品。

金庸對「情毒」的性別闡釋以「陰毒」爲主，中了「情毒」的陰性世界自然是毒性十足的了。「壞女人」、「惡女人」與「怪女人」的性格特徵、行事方式都離不開「陰毒」二字。她們行走於江湖，成爲江湖一害，給江湖男權社會的正常秩序帶來嚴重的威脅；她們身上的鬼氣、妖氣與毒氣對立於所謂的「正派」，是「邪派」的表徵。在金庸的小說中，武功有正派的陽性武學，也有邪派的陰毒手段。武功實際上也被他用性別政治加以區分，類似毒針、「生死符」、「九陰白骨爪」等邪派的武功，都是正派武林人士不能容許的。正派人士一般不屑於練這種邪門的武功。《笑傲江湖》中最「陰性」、「陰毒」的武功要算是「葵花寶典」了。要練就這種天下第一武功，男人首先必須「引刀自宮」，而且練成後會不可思議地「變性」，變得異常「陰毒」，讓人膽寒心悸。「引刀自宮」與這種極其陰毒的武功有着深刻的內在聯繫。自我閹割後的「東方不敗」、僞君子岳不群和林平之，自從練了這種「陰損毒辣」的武功後，淪落到不如女人的地步：不男不女，甚至比女人還陰毒。由此可見，金庸把男人眼中的壞女人、自閹的「雙性人」與貶意的陰毒世界聯繫在一起，是一種性別政治的命名方式。⑥通過這種命名方式，男權中心的正常秩序得以維持。

然而，金庸的寫作立場並不是固定的。他常常嘲諷那些保守迂腐、拘泥條條框框的正派武林人士，相反的，一些邪派的性情中人反而深得他的青睞。他這種遊離於正邪之間的遊戲態度，來源於他對香港文化身份的認同。正是香港處於中英兩種文化之間的「模糊性」，造就了金庸獨特的「遊離性」的立場，而且這種寫作立場，對毛文體統治時期的大陸「正派」文學更是一種有力的諷刺。如果我們把他小說中的性別政治，用一成不變的模式來加以分析，那恰恰忽視了他遊離的寫作立場和態度。他對性別政治的命名，不是一次性的、單調的，而是多層次的。通過一次次的重新命名，他對「陰毒世界」的定義並不只是貶義的。以那些「壞女人」和「惡女人」爲例，雖然金庸刻意突出她們「陰毒」的一面，但他對她們所中的情毒卻充滿同情。他對李莫愁的性格是這樣形容的：「李莫愁心狠手辣，用情卻是極專，她一生惡孽，便是因『情』之一字而來。」⑦金庸還把李莫愁「善」的一面，通過其「母性意識」的覺醒表現出來。「她一生作惡多端，卻也不是天性歹毒，只是情場失意後憤世嫉俗，由惱恨傷痛而乖僻，更自乖僻而狠扈殘暴。郭襄嬌美可愛，竟打動了她天生的母性，有時中夜自思，即使小龍女用『玉女心經』來換，也未必肯把郭襄交還。」⑧ 揭示這些「壞女人」慈祥的「母性」，是金庸重新定義「陰毒世界」的方式之一。如裘千尺對她女兒所顯示的母性，雖然古怪，但也不失溫暖與柔情。除此以外，金庸在解釋這些壞女人之所以毒辣的原因時，還時常歸結到男性用情不專或男權中心的問題。蔓陀山莊的王夫人，五毒教的何紅藥，還有絕情谷的裘千尺，都因爲男性的用情不專而怨毒滿懷，以致性情大變。在講述裘千尺的慘痛經歷時，金庸解釋道：「裘千尺遭遇人生絕頂的慘事，心中積蓄了十餘年的怨毒。別說她本來性子暴躁，便是一個溫柔和順的人，也會變得萬事不近人情。」⑨所以，這些女子實際上是男性用情不專的犧牲品。再者，金庸還借「壞女人」來批判父權統治的社會秩序，梅超風可憐可悲的一面就是很好的例子。殘忍可怖的她，曾經是個「天眞爛漫的女孩子」，因爲懼怕師父黃藥師，而與丈夫私奔、盜經、練「九陰白骨爪」。黃藥師的「父親」形象，是絕對權力的象徵：每次梅超風一聽到黃藥師的名字，就「嚇得魂飛天外，牙齒相擊，格格作聲，不知如何是好」⑩。可以說，父權是造成她變成魔女的根本原因。金庸把她的陰毒歸咎於「父權」對她的壓迫，所以，她對父權的叛逆與最後的歸順，其實帶有很大的悲劇性。

細心的讀者也許會發現，這些中了情毒的女子，大多是不年輕的女性，只有李莫愁較年輕，而且她們不是身體殘疾，就是心理變態。從對女性的定義來看，她們指涉着女性的陰暗、衰老醜陋、壓抑甚至歇斯底里的一面，對立於另一批被金庸美化了的、貌如天仙的女子。許多小說家經常忽視女性「陰暗」面的特徵，但金庸卻加以重視。也正因爲有了這批「壞女人」、「惡女人」的存在，金庸對「陰柔」性別的定義才更加完整獨特。這些女性既是絕情谷中美麗而有毒的「情花」，又是兼具古典與現代色彩的「惡之花」。她們是有問題的、危險的女子，象徵着陰暗與死亡，跟光明的、正義的、積極的陽性世界格格不入，就如同金庸的寫作和文革時期「紅太陽」式的毛文體寫作走的軌道是相反的一樣。在文學逐漸淪落爲政治工具的革命文學裏，好女人與壞女人是由階級意識來劃分的，「情」是一個禁區，女性的性別也變成了「無性之性」。⑪因爲情而變得「陰毒」的女子，若放在革命文學的語境裏，則是一個「怪物」，是所謂「封建主義」的遺毒和「資本主義」之頹廢相結合的產品。現代文學史中，與這批「陰毒」女子有異曲同工之處的女性形象，要算是張愛玲《金鎖記》中的曹七巧了。如孟悅和戴錦華所論述的，「張愛玲的女人們如果不是在沉寂中凋零、死去，便會在『無名的磨人的憂鬱』、慾望的隱秘的饑渴、精神上的被虐與施虐中成了一位死亡天使，一個惡魔母親；成了古宅之中一個無所不在、令人窒息的獄卒。」[12] 金庸筆下的陰毒女子，都有着曹七巧式的瘋狂、惡毒與殘忍，是死亡國度中的復仇女神。她們瘋狂的自虐與施虐行爲，是對父權社會和男性世界隱秘而持久的壓抑方式的報復。她們無父亦無母，在陽性的江湖世界中，嚴重脫離父權與男權社會的軌道；作爲一群異類，她們在殭屍、骷髏、鬼怪的頹壞陰暗的世界裏，發出令人毛骨悚然的冷笑、瘋笑與狂笑，使正面的陽性世界亦爲之顫慄。

如上所述，金庸創作的「惡女人」、「怪女人」群像，在一定程度上，是中國古典小說中「情癡」、「情毒」傳統與西方現代主義表現手法縫合的產物。西方理論家馬特·卡里耐司庫（Matei Calinescu）認爲西方的現代性概念包含兩個定義：一是指理性的、進步的，與資本主義工業社會相合拍的；二是指內心的、美學的與文化的，是對前者的批判。[13] 李歐梵借用這個定義闡釋中國的現代性時，認爲中國的知識分子從未眞正有機會發展第二種內心的、美學的現代性，來對第一種現代性——「進步的時間觀」進行嚴肅的批判。[14] 然而我認爲，現代性在中國語境中所表現出的複雜性，是需要做更細緻的文化歷史批評的。劉禾的《語際書寫》在這一問題的探討上，就有很大的突破。她從「跨語際實踐」的角度出發，對西方現代性在中國語境中是如何被傳播、移植、轉化甚至同化的過程進行了很有意義的研究。如果我們試圖討論金庸小說與現代性的關係，我們也不可以過於簡單化。首先，我們必須看到香港這一特殊的歷史文化環境是如何產生了金庸的書寫的；其次，金庸的書寫又是如何參與地域性對現代性的再生產，是如何在西方工業化體制與毛文體的現代化進程的夾縫間開花結果的。從他小說中「陰毒」的性別政治，我們可以看到他既保留了「老的」、「舊的」、「過了時的」中國古典小說敘事傳統與古老命題，又採用了西方現代主義的個人的、「內心的」時間觀，來完成中國知識分子一直缺少的對「現代性」的批判；當然，這一批判不是單一的，本質化的。中了情毒的陰性世界，與進步的、現代的、理性的觀念是陰差陽錯的兩個不同的世界，也是殖民地區的西方文化霸權無法控制的世界。所以，金庸實際上通過「陰毒」的性別政治的表達方式，實現了他對西方「現代性」的反抗。

二

金庸對男性的定義，與他對女性的定義是相輔相成的。在少年男俠成長的過程中，他們在江湖中所遇到的情侶，對他們的影響力是巨大的。青少年成長的主題——他們與父輩的關係、情感教育與人生追求歷來是小說家們津津樂道的話題。西方評論家，如法蘭克·莫內替（Franco Moretti）更是把青少年的成長主題看成是歐洲「現代性」的象徵符號之一。由於青少年不穩定的內心世界最易表現出現代社會的動盪、無形和難以捉摸[15]，這群在成長中有問題的青年與西方現代性的定義緊緊相關。但在金庸的小說中，少年男俠與十八世紀歐洲小說中「有問題」（problematic）的青少年不同；這些少俠們在成長過程中雖有問題，卻不乏解決問題的辦法。當然他們解決社會壓力的辦法，來自於他們在「走江湖」時逐漸形成的某種男性的「理想人格」。所以，少年男俠生長成理想的「一代大俠」的過程，蘊含了金庸對「男性性別」的定義與重新定義，以及他對民族國家、文化認同等問題的看法。

金庸小說中的少年男俠，基本上都是在缺父的狀態下成長起來的。英雄之後代，如袁承志和郭靖從小就沒有父親；奸人之後代，如楊過亦是從小失父；正邪兩派結合的後代，如張無忌幼年時父母自盡；而像浪子令狐沖則更是不知生身父親是誰。父親缺席這一現象與香港的地域性有共同之處：他們與父輩的關係都不是直接的，而是間接的；他們都沒有完全繼承父輩的價值規範。在江湖漂流的日子裏，這些少俠們獲得了另一種有別於他們父輩的價值規範，從而建構了屬於他們自己的男性「理想人格」。所以，無父、無家可歸、在漂流中不斷尋找自我，是金庸對男性性別重新定義的出發點，也是他選擇的寫作立場。他的每一部小說，都在一種漂泊的狀態下，對男性中心的社會秩序，進行反思與重新界定。這種界定與重新界定的過程本身，就是一種漂流性話語。它只能產生於「寫於家園之外」（writing diaspora）的寫作中。

不約而同的是，這些少俠在成長過程中，都經歷了一段「情感教育」。他們所愛的美女或妖女，在不同的程度上，都改變了他們原來的價值觀，尤其是改變了他們父輩傳遞下來的價值體系。由此可以看出，金庸對男性性別的定義，是借用女性定義中帶有流動性的特徵來實現的。當然，金庸對女性的塑造，還是離不開男性對女性「凝視」的視角。他筆下的妙齡少女，無一不美、無一不貞，而且大都美得讓人「無法逼視」；但這種「無法逼視」卻蘊含了男性對女性不眞實的臆造。女性眞實的身體、性慾、痛苦，以及張愛玲式的女性寫作中的「細節」⑯，在金庸對這群美女的塑造中全部被一一略去。被他美化了的女性，或是全然不會武功的純潔「仙女」、「聖女」或「玉女」，如《書劍恩仇錄》中的香香公主、《雪山飛狐》中的苗若蘭和《天龍八部》中的王語嫣；或是武功高強、姿色絕麗、但不符合社會規範的「妖女」和「古墓女子」，如《射鵰英雄傳》中的黃蓉，《倚天屠龍記》中的趙敏和《笑傲江湖》中的任盈盈，還有《神鵰俠侶》中的小龍女。這些美麗絕倫的女子們，都非常純情、專情，對「性」一無所知。金庸在「情」與「性」的分別上，實際繼承了中國古典文學中的言情傳統，盡量將「情」純化、美化，避免帶入「性」的雜質。他對「古典純情」的懷舊心態，雖然是對抗通俗文學「性」氾濫的文本策略，但卻忽視了男女性別定義中最複雜的一環。

第一類有如仙女般的不會武功的女性，在武林江湖中顯得不大眞實，是男性幻象中的產物，對男性中心的社會不構成威脅。由於武林在金庸的小說中，象徵着一個權力場和一系列權力關係，這些女性不會武功，意味着她們對權力爭奪的放棄。王語嫣爲了表哥去強記武功，只是出於愛情的目的，她心中對這些暴力與權力鬥爭極爲厭惡。男俠們一般不會懼怕這些女子，反而會自然而然地去捨身保護她們。她們柔弱的存在更襯托出了武林「陽剛」的性別特徵。但是，偏偏這些武林的「局外人」，這些被男性幻想美化了的女子，給予男俠的「情感教育」是很有作用的：她們幫助男俠們重新反省武林的「陽剛」世界，反省無休無止的權力場。《書劍恩仇錄》中的陳家洛，在香香公主和國家社稷之間最終還是選擇了後者，但香香公主成爲犧牲品後，他一直鬱鬱寡歡。到《飛狐外傳》中陳家洛再次出場，他給人的印象是一個非常憂鬱的形象。《天龍八部》中的慕容復，爲了重興燕國的社稷，捨棄王語嫣而追求權力，已成爲金庸對男性「理想人格」定義裏的反面教材；相反，大理王子段譽把公衆的「國家社稷」放在個人的「情」之後，反而是金庸塑造的理想男性之一。不過，他的這一男性定義，與中國現代文學主流所崇尚的「感時憂國」的英雄形象，有很大的距離。三十年代時興的「革命加戀愛」的寫作模式中，左翼作家們紛紛捨去小資產階級的個體「情」調，而選擇大衆的、集體的、與國家命運相關的革命，這種模式中的「男性人格」正是金庸所嘲諷的對象。

不同於第一類的女性，第二類的女性則有參與權力鬥爭的力量。被稱爲「妖女」的黃蓉、趙敏和任盈盈，在正統的男性社會裏，是「邪」派的女兒，具有很大的威脅性。雖然金庸沒有把她們描寫成「蕩婦」或「致命的女人」（femme fatale)，但她們對正統的男性社會有很大的挑戰力。所以，正派的父輩們都警告成長中的男俠：別在這上面搞得身敗名裂。可是，金庸筆下的理想男性，全都通過沉迷於這些女性的情愛，而獲得了重建自我價值體系的途徑。這些女性全都聰慧異常，像黃蓉就比郭靖聰明百倍，而趙敏也比張無忌有計謀；她們又很有權力，如黃蓉是「丐幫」的幫主，趙敏是蒙古郡主，而任盈盈在日月神教中的地位也很高。基於與這些妖女的交往過程中，少年男俠對父輩的正／邪之分，有了很大的超越。基於「情」與人之眞性情，少俠們發現正派中也有陰險之人，而邪派中也有好人。因爲所謂正／邪之分的背後，是由一定的意識形態和權力關係支配的。再者，這些妖女也幫助少俠們質疑狹隘的民族主義偏見，如趙敏是統治漢人的蒙古郡主，但張無忌仍義無反顧地愛上她，他們的愛情便已超越了民族的界限。所以，金庸小說中的理想男性，不是保守迂腐的「正派」人士，也不是大漢族中心主義的「民族英雄」，而是有趣味的性情中人，如楊過、張無忌和令狐沖。借助「邪」派妖女這一中介，金庸對男性的重新定義，加入了他立足於香港的寫作立場。在英國殖民地的香港從事漢語寫作，金庸並沒有完全回到「本土主義」，去認同所謂最「本質」的中國人的概念。相反，他的理想男性，在尋找自我的過程中，都沒有回到本質化的個人身份認同，而是具有很大的包容性。也許，正是這種包容性使得金庸的作品跨越了國度的界限，而成爲後現代社會裏各種中國人（大陸人、香港人、台灣人、東南亞及歐美的華人與全世界華人）共同認同的對象。

然而，這兩類女性，雖然都幫助成長中的男俠們修正他們原有的價值觀與道德觀，卻不是新價值體系的創造者，而只是間接的媒介。她們完成了使命後，都重新依附新建立的男性社會秩序。如黃蓉與郭靖結合後，基本上不再「邪」，而成爲正派的女俠，與丈夫一起守襄陽，反而看不慣楊過逾越禮教的行爲，成了正派的忠實維護者；趙敏脫離父親，與張無忌闖蕩江湖後，也基本上認同張無忌的世界。在金庸對這些妖女的塑造中，他本人不大喜歡有權力欲的趙敏，還有另一位由正派轉變成陰毒女子的少女——周芷若。

由此可見，有權力慾的女子，成了無權力慾的理想男性的反襯；而沒有權力慾的女子，如小龍女、任盈盈才是理想男性的理想伴侶。所以，金庸理想中的「陰柔」世界只是「陽剛」世界的補充。

在金庸最後的「反武俠小說」——《鹿鼎記》中，他理想中的「陽剛」世界受到了顚覆。韋小寶這一「非英雄」形象，是金庸對自己定義的理想男性的嘲諷。他不是太監，卻學會了太監的弄臣角色與陰毒手段；他不是大俠，卻頗講義氣。他集高尚與卑微、陽剛之義氣與陰毒之狡猾於一身。通過滑稽模仿的修辭手段，金庸對他以前理想的男性定義做了一番解構。從這番解構中，我們更加清楚地看到了他的「遊離性」立場。韋小寶愛金錢、權力與女人，在學武功的路途上從不上進，只學成了逃命的「神行百變」功夫。可是，他卻能遊離於江湖與朝廷之間，正與邪之間，情與慾之間，滿人與漢人之間，在多種不同的價值體系中游刃有餘。比起那些在漂流中尋找歸宿的少年男俠們，韋小寶從未有過失去父親和失去「家園」的痛苦，也從未有過任何認同上的危機。為滿清皇帝服務也好，抗清也好，只要是一場過癮的賭博遊戲，他便樂於前往，沒有什麼高尚的理想。他不區分情與慾，也不需要他的七個老婆來幫助他重建價值體系。他之所以能左右逢源，與他的「中間」（in-between）角色分不開。這種中間角色，不存在身份認同的危機，恰恰可以超越簡單的「壓迫／反抗」的殖民主義／反殖民主義話語。在《鹿鼎記》裏，韋小寶是好人還是壞人並不重要，重要的是他自身便是一個雜體，而他又能輕易地平衡社會上的所有雜體。這雜體不僅對所謂的男性「理想人格」提出質疑，也對任何固定的本質化的寫作立場提出質疑。

在漂流的旅程中，金庸塑造着他心目中的男性「理想人格」，也同時顛覆着一個個瀟灑迷人的「理想人格」。少年男俠們所接受的「情感教育」，賦予了他們一種無定形的漂流性話語，他們自己也不知道會流向哪裏，認同什麼，接受什麼或尋找什麼。他們個人情感中的每一次波動，都對原本根深蒂固的父系社會秩序形成巨大的挑戰；他們充滿現代意識的古典情懷，把片面化的現代性定義置身於尷尬的境地中。可以說，從性別政治的角度，我們更容易體會到金庸寫作在文學史上的意義，這一意義即是他的寫作是一種寫於家園之外的流動性的寫作，其對家園的定義有如他對男性「理想人格」的定義一樣，永遠沒有終點，永遠在尋找的俠旅中。

（原載於《今天》一九九八年冬季號）

註：

① 魯迅在《中國小說史略》第二七篇〈清之俠義小說公案〉中曾指出，清代俠義小說之流行，「値世間方飽於妖異之說，脂粉之談，而此遂以粗豪脫略見長，於說部中露頭角。」陳平原的《千古文人俠客夢》對此種說法有進一步的論證，並認爲「明清風月傳奇的『脂粉味』，部分改變了俠女形象以及武俠小說的整體風格，可以說開了後世『俠情小說』的先河。」（台北麥田出版社，一九九五年，87–92頁）。

② 見《千古文人俠客夢》，91頁。

③ 文康：《兒女英雄傳》緣起首回。

④《金庸梁羽生合論》認爲「『武』、『俠』、『情』可說是新武俠小說鼎足而立的三個支柱。」

⑤夏自清先生對《玉梨魂》繼承中國古典文學中的「情癡」與「情毒」有精彩的論述。見其文"Hsu (Chen-ya's Yu-li Hun"(論徐枕亞的《玉梨魂》),in Liu Ts'un-yan,ed. Chinese Middlebrow Fiction: From the Ch'ing and Early Republican Eras,(Hong Kong : Chinese University Press),1984.

⑥對拉康而言,命名象徵着並組構了父權社會的法律,維持了身體的完整。In Judith Bulter,Bodies That Matter (New York: Routledge,1993),p.72.

⑦金庸:《神鵰俠侶》(四),第1189–1190頁。

⑧金庸:《神鵰俠侶》(三),第1023頁。

⑨金庸:《神鵰俠侶》(二),第712頁。

⑩金庸:《射鵰英雄傳》(一),第 371頁。

⑪見孟悅、戴錦華:《浮出歷史地表》中論述解放區婦女解放的章節,第213–215頁。

⑫《浮出歷史地表》,第254頁。

⑬Matei Calinescu,Five Faces of Modernity,(Durham: Duke University Press,1987),p.41.

⑭Leo Ou-fan Lee,"In Search of Modernity: Some Reflections on a New Mode of Consciousness in Twentieth-Century Chinese History and Literature," in Paul Cohen and Merle Goldman,eds.,Ideas Across Cultures: Essays on Chinese Thought in Honor of Benjamin I. Schwartz,(Cambridge: Harvard University,1990), p.125.

⑮Franco Moretti,The Way of the World,(London: Verso,1987),pp.3–13.

⑯Rey Chow,Women and Chinese Modernity: The Politics of Reading Between West and East,(Minnesota & Oxford: University of Minnesota Press,1991).

城市的多邊故事

近幾年，地域意識逐步走進了文學想像。用現在時髦的西方理論來解釋，地緣想像、身份認同、以及城市記憶的崛起，當然是爲了抵制資本主義全球化所帶來的單面化與普遍性。然而，我覺得地域意識和全球化是一個錢幣的兩面，誰也缺不了誰。換句話說，地方的意義來自全球，而全球的意義來自地方，它們既互爲參照系，又互爲困境。我們所說的資本主義全球化的矛盾不僅表現在新的霸權形式上，也表現在地域意識與這一霸權形式既對抗又合作的關係上。在這種新的語境下，文學又能做些什麼呢？當作家們不再受地域限制，可以通過電訊網絡與各種現代交通工具自由地在地球村漫遊時，他們的文字是否還可以代表某一城市？如果可以，又代表這一城市的哪一部分以及承載這一城市的哪一段歷史和記憶呢？如果文學已經被影視傳媒擠壓到了文化工業的角落，變成了朱天文所說的極其個人化的「奢靡的實踐」，那麼這一實踐又在多大的程度上能塑造地域意識呢？

上海文藝出版社二〇〇一年七月出版的三城記小說系列中，我的業師王德威教授編了一本台北卷，許子東教授編了香港卷，作家王安憶編了上海卷。把這三個城市放在一起，顯然爲城市學的研究又增添了一個新的視野。前一陣子，李歐梵教授首先提出把上海和香港作爲相互關連的「雙城記」來讀，以張愛玲的寫作爲例，讀出了不少新意。有了「雙城記」，自然會有「三城記」。但是，在我讀這「三城記」系列之前，心中一直有個疑問，那就是爲什麼北京未被列入其中？想當初二十世紀三十年代轟轟烈烈的「京派」和「海派」之爭時，台北和香港尚屬「邊緣城市」，現在它們卻在全球化的格局下舉足輕重，讓我們不能等閒視之。不過遺漏北京，也不是沒有道理，因爲香港、台北、上海這三個城市實在有太多的共同點：首先，都是國際化的大都市，都有庫哈斯（Ren Koolhaas）定義的「通屬城市」的特點，即擁有國際都市共同通用的模型，如機場、酒店、高架路和摩天大樓等；第二，多多少少都積澱了殖民或半殖民的歷史經驗，而現在又一下子跨入了後現代與後殖民的「全球化」時代；第三，它們的文化遺產、記憶與創新走的都是近於「海派」的路子，相對於純樸厚重的「京派」，顯得「輕」與浮華。

這三本集子中，最「華麗」的世紀末城市要屬台北，用王老師的話來說，「世紀末台灣文學集張致與感傷，華麗與荒唐於一爐，在在展現了不同的面貌。而此一奢靡實踐的地標，正在台北。」所謂「華麗」不僅是令人眼花撩亂的商品名牌、燈紅酒綠的色慾縱橫、瘋狂吶喊的政治狂熱，以及雜亂多元的台灣身份，而且是這一「華麗」表象後面的心靈潰散，一種到了「極致」後的「溢美」與「溢惡」。這華麗彷彿建立在廢墟上，隨時都有毀滅的可能。在這個後現代化的都市裏，白先勇筆下那些身在台北卻充滿鄉愁與放逐心態的「台北人」已成了過去，就連朱天心《古都》中那個拾撿歷史殘片的憂鬱懷舊的中年女人也與那個喧囂的城市格格不入，而領新時代風騷的則是新新人類——他們既不眷戀祖國故土，也不眷戀台北的歷史古蹟，既不在乎複雜的台灣意識，也不在乎纏綿悱惻的情愛，能夠捕捉住他們靈魂的唯有「第凡內珠寶」。朱天心的短篇《第凡內早餐》中代表新人類的「我」，面對着光燦奪目的世界名牌鑽石，「以右手拈起它，並以情人的款款深情之姿緩緩套在左手的無名指上，心中漲滿了寧靜的快樂，彷彿，彷彿那個偶然在南非橘河河畔玩耍並拾獲了EUREKA的小男孩。」（台北卷，二十五頁）然而，這一甩掉了沉重的歷史與政治包袱、不相信感情而只漂浮在聲色慾望之中、崇尚物質品牌的新人類又何嘗不是後現代「通屬城市」的一個「通屬景觀」？我們在衛慧、棉棉的小說中不也同樣能找到類似的「新人類」嗎？如同「上海寶貝」一樣，透過全球化的電腦網絡，「新人類」一邊給自己掛上後殖民大都市的地域標籤，一邊又把這地域中的特殊風光當作可以消費的商品。無論第凡內鑽石如何光彩誘人，它的光影與華麗實際上無情地抹煞了台北獨特的文化記憶與身份認同。

台北「華麗」的另一景觀是色相馳騁的頹廢狹邪城。首先，同性戀之間的感情糾紛早已成爲台北日常生活的一部分，算不上世紀末的台北怪談了。紀大偉的《嚎叫》和曹麗娟的《童女之舞》都大膽地觸及了同性戀感情、身體慾望與都市的關係。其實，同志情懷還構不成多少「震驚」效果，眞正令人震驚的是這個城市的性與革命的掛鈎——泛政治化與泛性化的結合。如朱國珍的《夜夜要喝長島冰茶的女人》爲我們展示了這樣一系列觸目驚心的城市風景：夜夜泡酒吧的亞維儂用男人的精液當面膜，兄妹同時與哥哥的同性戀男友結婚，龐大的人群沸沸騰騰地參與革命，妓女搖身一變成爲立法院長，亞維儂後又變成富可敵國的女商人。在這個個人與集體的情慾烏托邦中，台灣命運和私人生活充斥着利比多的意識形態——一切都在骯髒的污水中漂浮，而整個城市即將在髒水中沉沒。朱國珍用超現實的手法在小說結尾不僅預示了城市的即將沉沒，並暗示了這一沉淪沒有任何被救贖的可能：

在混沌不明的黑潮之中，這個嬰兒向天使般降臨，他絲毫不畏懼大水的污濁以及來勢洶洶，任性悠游於浪波裏充滿喜樂；亞維儂甚至不排除嬰兒有對她說話的可能，因為這個嬰兒的存在太超乎人類的想像力。（台北卷，一〇八頁）

當亞維儂發現那個嬰兒的臉就是她的臉時，唯一被救贖的可能在一剎那中變成幻影：連一塵不染的嬰兒都在隨波逐流，這個城市怎麼可能不沉淪？張啓疆的《俄羅斯娃娃》中也有一個關於這個城市的寓言：那個才七歲就已經患了衰老症並最後死亡了的娃娃難道不是針對華麗荒誕的台北而發出的警世之音？的確，我們在這狹邪城中看到的處處是「情」的乾枯與遺失，處處是個體的痲木與冷漠。比如凌明玉的《複印》中，「整個世界像是一個超大型的複印工廠」，而肉體的慾望可以複製，眞實的感情卻再也不能複製了。陳建志《氣息》中的少女，由於愛情的一去不復返而走進了氣息（aura）的王國，希望能藏身於能讓人憶起往日歲月的氣味裏，然而本雅明理論中那帶有古典韻味與神秘靈光的氣息在這末世裏早已失落，留下的唯有無助無意義的註腳與註腳的註腳。

懷念與哀弔逝去的古典氣息是朱天心的《古都》的主題。敍事者「我」是一位中年女性，無法像她的丈夫在台灣的本土意識裏找到激情與認同，因爲她屬於外省人。當她年青時代的好友A約她到日本京都相會時，她欣然赴約。在等待好友時，她流連於京都，發現這個城市並未丟失川端康成長篇小說《古都》中的古典氣息和韻味。她後來因爲好友爽約而提前返台，故意以「異鄉人」的身份重新遊走台北。隨着她穿街走巷的腳步，被時代遺忘的歷史記憶一點點被挖掘出來，然而她卻永遠也找不回古都所擁有的神韻與古典氣息了。朱天心的這篇小說在全球化的版圖中尤其顯得彌足珍貴，因爲她將地理與歷史、考古與回憶疊映在一起，爲台灣「殖民」史前的古蹟刻了一幅獨特的地圖。王德威老師在給朱天心的小說集《古都》寫的序中，曾把朱天心與她的敍述者們比喻成「老靈魂們」，「老靈魂以其世故犬儒，作爲天下無道，兼亦『反抗絕望』的方法。」（朱天心，《古都》，台北麥田出版，一九九七年，第二十一頁）他讀出了「老靈魂們」有如本雅明所說的「天使背對未來」的一面，在斷井殘壁間尋找被都市化拋棄的過去，但他也看出「老靈魂們」世故犬儒的一面，其「假先知」的姿態更顯出台北末世中知識分子內在的矛盾。

不過，當朱天心把古典韻味提升到無法還原的美學高度時，她自己作爲「外省人」的寫作立場卻無處隱匿，反而成了現實而迫切的徵候所在。毫無疑問，她對所謂「原本眞迹」的挖掘是對認同本土意識卻無力保存本土文化遺產的人們的反諷，如黃錦樹所論述的，「都市化——持續的，不可避免的都市化讓本土論述奉爲命根的台灣性也在世界化的過程中被抽離、分割，而失去了物質基礎。」（黃錦樹，《從大觀圓到咖啡館——閱讀／書寫朱天心》，見朱天心，《古都》，第二五九頁）然而，朱天心對古都唯美般的懷舊，不可避免地忽略了台灣殖民史中壓迫與反抗的眞實的歷史。殖民史中的每一處斷牆敗柳並非那麼富有「詩意」，相反的，卻暗含着知識與權力、身份與種族之間種種衝突的歷史經驗。從朱天文的獨特的身份認同和寫作立場來看，她對過去的弔亡與懷舊無法掩蓋或取代現今「政爭慘烈醜陋的海島」，因爲這海島的慘烈鬥爭可以一直追述到她所眷戀的殘破的歷史斷層與積澱裏，是古典氣息所無法遮蓋的。於是，她唯有自我放逐，在自己熟悉的城市中做「異鄉人」，而這種自我放逐註定是悲劇的：因爲她在歷史中找不到「家園」，在現實的台北也找不到「家園」，在女性的世界中同樣還是找不到「家園」。

王老師編的這本集子給我最深刻的印象就是這種「無家可歸」的感覺。整個集子顯示出了後現代台北的「華麗」，但卻以「華麗」建構「荒涼」。全書瀰漫的荒涼心態與華麗的都市景觀形成了巨大的反差，在張愛玲「蒼涼」的廢墟意象上添加了一層誇張的猙獰之色。這巨大的反差中，個體如碎片一般七零八落，面目模糊，隱伏在都市裏幽暗的角落，偶而有幾個「老靈魂」唱着不再天眞的輓歌，爲處於毀滅而不自知的人們唱着具有蠻荒色彩的輓歌，試圖喚回已經失落的記憶。

在許子東教授編的集子裏，香港可謂是一個最「健忘」的城市，我們在這個城市裏沒有找到多少屬於它自己的足迹與色彩，所謂「香港身份」在這個健忘的城市中如同那一堆彎彎曲曲纏在一起的輸水管，既蒼白又令人恐懼，而這些輸水管在城市的建設發展中很快就不留任何痕迹。許榮輝的《心情》把這個城市的健忘症表現得非常精彩。敍述者「他」面對着充滿歷史感的銅像卻發現這個城市「無歷史」：

其實他並不懂歷史，好像是天生的缺陷。一來到這座城市他就感到他一直生活在一個沒有歷史感的環境裏，而且後來他隱隱覺得，歷史雖然還不至於是一種禁忌，卻也總叫人不願想起，提起，就是這麼種氛圍一直圍繞着他。（香港卷，第二頁）

可笑的是，不懂得歷史的他，爲了生活，卻寫起歷史題材的劇本來了。於是，在老闆的壓力下，他一遍遍地改寫着面目全非的歷史，只是爲了討好觀衆，爲了商業效果，根本沒有辦法顧及歷史的眞實性。老闆對歷史的闡釋典型地代表着後現代的影視文化無情「消費」歷史的現象：「歷史是成年人開的一個大玩笑，已被無數謊言掩蓋，歷史很大程度上是胡揑的，沒有人能找到完全的眞相，我們何不在那血迹斑斑的史迹裏也胡揑出一個娛樂人的故事來？」顯然，香港在消費「歷史」的同時，自己都市的歷史也一併被「快感文化」與「娛樂文化」所吞噬了。全球化迅速地把商品消費文化帶到世界的各個角落，通過後現代影視的「快感文化」無情地塗抹掉地方性的歷史和記憶。生活在狹小空間的「他」，又有多少力量能抵擋這種一致性的「塗抹歷史」的批發性生產呢？相對於不眞實的影像世界中的歷史，敍述者的母親則代表着香港日常生活眞實的一面：她屬於這個城市裏最廉價勞工的一群，一群默默支撐着香港繁榮，卻最容易被時代遺忘的底層香港人。只有在他母親這類堅忍地生活着的平凡人身上，他才彷佛尋找到了一點點與香港歷史有關的東西。可悲的是，後現代的香港只生產那種虛假的歷史，象徵着眞實的香港歷史的母親早就被商品社會無情地遺棄了。

於是，在這個「健忘的」城市裏，個體被都市化的進程所異化。許子東教授編選的幾個短篇小說都是表現這個主題，比如韓麗珠的《輸水管森林》，用冰冷蒼白的輸水管和母親給外婆洗的豬腸，來比喻香港對辛勞一生的外婆的異化，最後更新了的樓宇再也看不見輸水管了，因爲香港的日新月異早就把外婆這樣的人浸沒了，一點腳印也留不下來。黃敏華的《少言妙音》則從聲音的角度來寫個人與城市之間緊張的角力，最後少言與妙音都不可避免地被嘈雜喧聲的城市扼殺了。顏純鈎的《耳朵》也同樣以超現實的手法寫人的身體在城市中的變形，人不僅被自己的身體所監禁，更被自己生活着的城市所監禁。在這個「他鄉」的城市裏，不僅自己的妻子成了「他者」，連自己的身體也成了「他者」，實在是無處逃遁。李默的《改頭換臉之旅》則嘲諷仰仗先進的科學技術來保持青春的現代人——現代社會可以提供給現代都市人「假」的青春的身體，卻不能更換他們蒼白的靈魂。關麗珊《青鳥》

中的都市人，是一個迷途而被囚困在這個城市中的青鳥，不僅看到了都市人之間的隔膜與無法溝通，還看到都市生活中的虛假與謊言。

最近香港學的興起實際上是對這種「健忘症」的抵抗。西西早在一九七四年就先知先覺地寫了《我城》，但是大多數香港人則在一九八二年中英兩國談判香港前途時，才發現這個「我城」，才開始尋找「我是誰？」的答案。香港「九七」回歸前，再現香港的書寫文字與虛擬的影像世界交疊，一次次地書寫，複製和消費着遊離於殖民與後殖民歷史中的香港，而這些再現香港的文化生產，卻常常讓人無法確認那些是眞實的歷史那些是虛妄的想像。這本集子中西西的小說《浪子燕青》也觸及了香港身份的問題，借用的是「故事新編」的路子。値得一提的是，「故事新編」這個中國古老的傳統在香港獲得了新生有其特殊的意義，李碧華的小說就經常通過一再重寫、添置、轉換以往的文學歷史掌故，來重新指設「中國／香港」、「中心／邊緣」的糾葛，而香港的故事在這種策略性的後設文本中有了某種創新的含義。對於這種朝花夕拾與故事新編的文體而言，歷史性和眞實性並不重要，重要的是文本裏暗藏的政治與權力的交涉，以及它關於香港歷史和文化身份的隱喻。從這個角度來讀《浪子燕青》，我們首先讀到的是西西對「燕青」身份在各式各樣的歷史文本中的考證，越考證越是發現其身世的模糊不清與前後矛盾，他有時聰明絕頂，有時又蠢如笨驢，他既有生父，又有養父，而他的創造者，既有文字語言又有圖像繡像。燕青這一模糊與多重的身世正像香港，既有中國如生父，又有英國如養父，而其殖民歷史被不同的統治者一次次地改寫，根本無法再現它的原貌。最後燕青經歷了梁山結義，後又被朝廷招安，但已看透「回歸」後的結局，反而懷念起與建水泊梁山的美好過去，於是決定「拜別主人，自去那可去之處。從此不做奴僕，也不做強盜。」（香港卷，第二七八頁）這裏所隱設的香港故事已再明顯不過，西西通過對過去的拼湊和挪用來展示香港的過去與未來，這種拼湊並不是後現代文化中的那種無意義的大雜燴，而是將意義深藏於複雜的文本裏。

董啓章的《安卓珍尼——一個不存在的物種的進化史》一樣也指涉着香港的身份認同。女敍述者「我」一直在尋找自己的位置和歸宿，她既沒有在受過高等教育並擁有毫宅的丈夫身上找到，也沒有在生活於深山中的原始野性的男人身上找到，最後反而在快要滅絕的單性繁殖動物「安卓珍尼」的身上發現了迷失的自我。

在現在裏面，她遇見了她，她跟她說話，她想找尋她的語言，她想說她的故事、敍述她的歷史……她知道她不能在故事中理解她，她知道她永遠逸遁於聲音與言辭之外……她知道，要理解她，到了最終，便是沒有什麼可以理解；要跟她說話，便是沒有什麼話可以說。到了最後，這是唯一的理解，唯一的說話，她，和她。（香港卷，第一七六頁）

從女性主義的角度來讀這篇獨特的小說，可以讀出一種激進的女性立場，一種對男性沙文主義的深刻批判，以及對女性命運的自我認識和反思。但是如果把這篇小說讀成是作者對建構香港身份的努力，一樣很有深意。董啓章其實寫了一個對香港的自我認識的寓言：香港不能在英國那裏找到自我，也不能在「九七回歸」中找到自我，唯有在自己的生命本質中才能找到任何書寫和文字都無從認知的自我。安卓珍尼的命運便是「我」的命運，便是香港的命運，「我們被獵捕，被困在房子內，但我們並非死路一條，我們還活着，我們的後代也許可以進化出新的條件，突破環境的限制，克服天然的敵人。不過，也許我們會滅絕，自世界上銷聲匿迹。」（香港卷，第一六八頁）不管未來怎樣，「我」最後選擇了安卓珍尼的命運。

這本香港卷既書寫着「健忘」也同時書寫着「記憶」，個人的命運與香港的命運於是浮沉在書寫與遺忘之中。然而，香港身份帶來的危機與覺醒仍舊與「全球化」的都市文化相互糾纏着，作家在這種矛盾關係中到底要堅持些什麼呢？要尋找些什麼樣的地緣想像呢？這依舊是一個揮之不去的問題。

在王安憶編選的集子裏，上海變成了一個異常「樸素」的城市，可我讀了之後，心裏卻有一種莫名的感動。因爲今天的上海，一樣是日新月異，一樣是無比繁華，一樣是一點點地碾平帶有文化遺產的廢墟，然後又在廢墟上建造一個同台北相似的「世紀末的華麗」，可是王安憶偏偏視而不見，卻去尋找一些日常生活中恆定不變的東西。她在序的開篇寫道：

隨着年長，一些奇峻的東西倒是看得平常了，反是人情之常，方才覺得不易。在多變的世事裏，景物都是撩亂的，有時候，連自己都認不得自己了。可是，在浮泛的聲色之下，其實有着一些基本不變的秩序，遵守着最為質樸的道理，平白到簡單的地步。它們嵌在巨變的事端的縫隙間，因為司空見慣，所以看不見。然而，其實，最終決定運動方向的，卻是它們。在它們內裏，潛伏着一種能量，以恆久不移的耐心積蓄起來，不是促成變，而是永動的力。

我所能產生共鳴的正是這種「人性中的常情」，因爲它往往被城市研究者所忽略了。如王安憶所說的，「在這個物質主義的時代，生活布滿了雕飾，觀念呢，也在過剩地生產，又罩上了一層外殼」，可是，「生活」在這個時代裏卻萎縮與退化了。她所說的「生活」實際上是一個城市繁華與衰敗的基點，是城市的骨髓。我們談到城市時，常常會談到城市景觀，然而，日常生活裏所呈現的景觀是卡爾維諾所說的那種「看不見的城市」，它不是建築、街景、咖啡館、舞廳、電影院等那些看得見的城市風景，而是一個城市的「心靈景觀」，是由人的常情與常理構成的時代風情。王安憶於一九九五年完成的《長恨歌》，現在已經成了研究上海的學者們最常談到的一個「經典文本」。雖然《長恨歌》以半個多世紀的上海作爲歷史圖景，「上海小姐」王琦瑤橫跨新舊上海，可是王安憶爲我們展示的是藏匿於大歷史下的「家常」，那種王琦瑤所代表的上海女子的嫵媚、精明和日日花樣翻新的生活藝術，那種瀰漫和洋溢在空氣裏的不可複製的昔日記憶與情懷。從「日常生活」的角度對比新舊上海，即使新上海已在開始復甦它的繁華夢，可是老上海的富有風情的時髦、有滋有味的點點滴滴的日常生活卻所剩無幾了，那點靈氣已不復存在了。可以說，新上海的「心靈景觀」比起舊上海的要粗糙得多。

當我們談到地方意識的興起是爲了抵抗資本主義全球化時，我們卻忘了承載所謂「地方意識」的正是「日常生活」的經驗；當現代人被城市監禁與異化時，我們卻忘了唯一可以逃遁的去處是富有人情味的平實的日常生活。王安憶所選的小說都離不開「歷史」，把它們放在一起，我們看到了很長的一段城市的歷史變遷。不過，儘管這些小說都有大時代的動盪做背景，可關注的卻是生活的原質與本質，也可以說它們表現的是一個城市的「心靈史」，一個城市在不同歷史時期的精神狀態。如女作家羅洪的《孤島歲月》，雖然仍然洗不掉意識形態與政治的痕迹，可是愛國的大學生如雲還是得生活，於是瑣細的家庭糾紛讓我們看到孤島時代眞實的上海。表舅身上的「人情味」，媽媽的周到，如雲的懂事，以及表舅媽上海式的精明與世故，編織成了上海在這個歷史時期的「生命景觀」。王安憶選的幾篇有關農村的短篇似乎與上海無關，但是革命時期「農村」對「城市」的洗禮與改造，可以從那些下鄉知青的情感生活與對城市的記憶中反映出來。如《不死鳥傳說》中，當上海在王寶心中只留下點小業主的「下流話」，在根娣那裏只剩下織毛衣的環形針，而在美華那裏僅存一點「三輪車」的上海弄堂里的童趣時，城市的心靈圖景已是荒蕪一片了。《暗香流動》寫文革的「文攻武衛」時期所殘餘的一點可憐的「夜生活」，美艷高傲的阿玲與酒鬼們及「我」的調情最後也被革命掃蕩得乾乾淨淨了。

王安憶在編選女作家寫上海的作品時，也是強調其抓住「生活肌理」的一面。

身爲女性作家，王安憶的女性意識也是樸素得可愛。她認爲「男性看世界，往往是大處着眼，對思想的期望過高。而女性的眼光則比較流連於具體的人和物。」於是，對於她來說，女性寫作的優勢恰恰是從小處着眼，「那正是生活的本身，掩在了觀念、思想、意識形態之下的，切實可感的肉身。」比如她選的徐蕙照的《放逐愛情》和陳丹燕的《女友間》都顯示了女性寫作敏感、細密的特質，把城市在社會改革與巨變中微妙的心靈轉變的景觀揭示了出來。在虛浮造作的新型商品消費文化中，男女之間的眞情、女友之間的眞情也在浮流着，然後在虛榮的生活中一點點迷失了。心靈一旦物化後，那城市的浮華與迷人便失去了根底。

在三十年代「新感覺派」小說中，商品化的上海大都市總被作家們比喻成一個妖艷放蕩的「女人」，可是這本集子中的上海卻非常樸素，上海的女人們也比台北、香港的女人們樸素多了，她們考慮得更多的是如何生活的問題。王安憶編選的這個關於「上海」的集子彷彿漏掉了衛慧、棉棉等的女性「身體寫作」，大概在她眼裏，那只不過是「身體景觀」，還不屬於城市的「心靈景觀」吧。

這三城記各有特色，編者們分別選擇不同的視角來展示台北、香港和上海的城市風景。他們的選擇自然是主觀的，不可能涵蓋這三個城市的每個層面，比如王德威老師的選本似乎漏掉了本省人或山地人心目中的「台北」，許子東教授的選本似乎漏掉了「過去的香港」，而王安憶的選本似乎漏掉了新新人類眼裏充滿魅力的如遊戲場的上海。然而，無論是「華麗的」台北，還是「健忘的」香港，還是「樸素的」上海，都一致地對當代都市文明的貧乏提出質疑，一致地抵抗「通屬城市」裏的「通屬景觀」，不約而同地以悲天憫人的廢墟意識來拒絕全球化的進程，都一致努力地在都市的文化生活與心靈狀態中尋找獨特的地域意識與文化記憶。

二〇〇一年十二月於美國馬里蘭大學

（王德威編：《第凡內早餐》，台北卷。許子東編：《輸水管森林》，香港卷。王安憶編：《女友間》，上海卷。三城記小說系列第一輯，上海文藝出版社，二〇〇一年）

（原載於《讀書》二〇〇二年三月）

中國先鋒文學的先鋒①

蘇童的小說崛起於八十年代中期。過去的十年來，其風靡大陸及海外讀者的優秀中、長篇作品有《妻妾成群》、《一九三四年的逃亡》、《罌粟之家》、《南方的墮落》、《紅粉》、《米》及《我的帝王生涯》。雖然他的小說《妻妾成群》及《紅粉》已被名導演張藝謀和李少紅分別搬上銀幕——成功地融入了大眾傳播媒介，他本人卻一再被評論家們歸納爲「先鋒文學」或「實驗小說」的傑出代表。毫無疑問的是，他作品的「先鋒」性，不僅表現在其敍述文字的頹靡耽美，而且存在於其所精心營造的歷史想像空間中。他筆下的歷史，無論是國史、家史、地方史還是野史，都滲透着濃郁的主體氣息和主體經驗。什麼是過去？什麼是歷史？用他自己的話來說，「它對於我是一堆紙質的碎片，因爲碎了我可以按我的方式拾起它，縫補疊合，重建我的世界。」正是這種個人化的歷史，引導着讀者飛升或沉迷於想像的眞實中，窺視或徬徨於無以名狀的慾望裏。王德威教授曾以南方的地緣視景來概述蘇童的歷史虛構或架構方式，揭示蘇童天馬行空般的歷史想像其實源於他個人所生存的空間——墮落腐敗而充滿魅力的南方。的確，南方是蘇童說故事的大背景，是他自我認同的敍述故鄉。這些年有關蘇童作品的評論中，人們大多重視其中、長篇小說的創作，而相對忽視了他自己「情有獨鍾」的短篇小說。而他的短篇卻向讀者展示蘇童小說世界的另一空間，一個對浮躁的現實生活充滿關注的虛構空間。蘇童對這一空間的書寫，不再深陷於絢麗虛浮或者陰森頹廢的歷史想像中，而是執着地在他生活的南方足迹裏用自審和憂傷的眼光尋尋覓覓。

在蘇童早期的短篇小說集《傷心的舞蹈》中，讀者不難發現，作者試圖提供具有永恆意義的形式感，通過這種形式感勾勒出某種人生境界。於是，作者在追求這種形式感的過程中，把現實放入空靈詭秘的人鬼世界裏來考察。南方依舊是南方，只不過它被一種神秘的氛圍深深地籠罩着，神氣、鬼氣和人氣互相擁擠着，令人難以分辨。在這模糊的氛圍中，歷史的和地理的大背景也相對地被淡化了。我們被小說精緻的敍述技巧牽引到了一個半眞空狀態，城市、鄉村、少年、紅馬、水神、U形鐵、稻草人等一系列意象只不過是霧氣濛濛的大背景中，一個又一個半眞半虛、被偶然性無形牽制着的幻象。雖然這些早期短篇在形式上深具創新意義，但它們與其同輩的小說一樣，過於沉浸在對現代小說技巧的探尋中。不同於蘇童的早期短篇，本集所選的九篇中、短篇小說則出人意料地貼近現實層面，人鬼世界的角力不再那麼明顯。這九篇中的《肉聯廠的春天》、《刺青時代》、《沿鐵路行走一公里》、《犯罪現場》及《聲音研究》都着眼於對青少年心理的探尋。當西方評論家法蘭克·莫內替（Franco Moretti）談到十八世紀末的一系列關於青少年成長的啓蒙小說時，他把青少年看作是現代性的象徵符號之一。因爲青少年不穩定的內心世界最易表現出現代性的動盪、無形和難以捉摸。同樣地，蘇童在這幾篇小說中，通過描述青少年與社會的對峙、衝突和妥協而顯現出時代荒蕪的大背景。蘇童早期短篇小說中那種若隱若現、閃閃爍爍的時代氣息，在這幾篇形容青少年古怪、殘忍、無常的心理小說中變得異常清晰。

在《刺青時代》中，青少年對死亡及暴力的迷戀與他們所生長的歷史大背景互相指涉。少年與死亡、少年對身體的自殤和冷漠、少年躁動不安的心理及其與生俱來的嗜血症，編織成了街頭的一景，一個蕭條的心靈和文化世界。「刺青正是將死亡化爲美學符號，將終極威脅化爲終極誘惑的過程。」②而這一過程把鬼氣不着痕蹟地寫進了人氣裏，把革命的悖論——頹廢寫進了革命的死亡美學中。《沿鐵路行走一公里》用鐵路這一現代化的產物和「簡單而乾脆的死亡機器」來暗喻少年陰冷、痲木卻又充滿渴望的心態。少年與鐵路之間糾纏不清的隱秘關係包含着生與死、城市與鄉村的對話，在這些張力場中，少年那顆浮躁空虛的心是特定時代背景下一個畸形的產物。《犯罪現場》則從一個變態少年的角度來寫一個時代的荒誕。少年啓東對針筒的迷戀，在一個偶然的機會中逐漸演變成了對死亡的迷戀，而他的怪僻最終導演了一場死亡遊戲。救死扶傷的針管在少年的手裏不可避免地轉換成了殺人武器，其中的弔詭不言而喻。這種死亡氣息在蘇童的少年啓蒙小說中四處瀰漫，既是敍事的場景之一，又是少年與現代性之間不可缺少的聯繫環節。死亡在

《肉聯廠的春天》同樣扮演着宿命論的角色。有外交才能卻終日與死豬爲伍的青年金橋，與他格格不入的工作環境展開了一場生死搏鬥，雖然他終於成功地辦成了調動，卻與同樣有外交愛好的對手——肉聯廠的領導，一起陰錯陽差地被凍死在屠屍冰庫中。自命不凡的金橋致死都無法走出令他厭惡的屠宰廠，這其中點點滴滴的無奈與荒誕，流淌在蘇童細膩的心理描寫中，並最終凝固在小說結尾人獸混雜的凍屍堆裏。《聲音研究》似乎是這組啓蒙小說中唯一逃出死亡陰影的作品，但作者巧妙地利用「聲音」這一中介，把高科技時代少年的暴力傾向和心理素質，在靜與動的張力中不動聲色地表現出來。在蘇童的作品中，青少年的啓蒙故事是他孜孜不倦探索的重要主題之一，他的長篇小說《城北地帶》就是最好的代表，但本集所選的中、短篇小說卻更加顯示出蘇童對敍述語言和結構的控制能力。他在短短的篇幅中，以更多層次的敍述角度和更爲精緻的敍述結構，把少年躁動不安的慾望同大革命背景下現代性的動感結合起來。南方的街景變成了心理的街景，有着深刻的現實和人性內涵。

《一個禮拜天的早晨》和《灰呢絨鴨舌帽》則從中年人的角度來表現人性內涵。這兩篇短篇小說與蘇童慣有的華麗傳奇色彩相比，顯得異常樸素和簡潔，是蘇童開拓的另一小說境界。歷盡滄桑的中年人不再迷惘，但仍然無法參透人生的眞諦，反而更深地被瑣碎的日常生活所羈絆。《一個禮拜天的早晨》中的教師李先生爲了爭回兩塊錢的豬肉錢，喪命於車輪之下；而《灰呢絨鴨舌帽》則把一個中年男人面對生命衰老的複雜心理，通過主人公與鴨舌帽的特殊關係，冷靜地解剖出來。這兩篇小說中的死亡並不是暴力的延伸，而是揭示人生宿命的手段之一，流露着作者淡淡的傷感。蘇童對自我的不斷超越，由他不斷創新的小說形式和境界中可略見一斑。

《西窗》和《表姊來到馬橋鎭》都以少女爲主角。蘇童非常擅長寫女性，他對女性心理獨到的把握，滲透着南方既纖美柔弱又含蓄世故的性格。《西窗》的場景坐落於蘇童小說中的主要地理標記之一——香椿街。蘇童的許多小說，如《米》、《紅粉》、《刺繡》、《南方的墮落》和《城北地帶》，都圍繞着這一潮濕腐敗的南方街景而展開敍述。《西窗》中的少女紅朵，小小年紀就被南方曖昧陰森的性格所塑造，同時也以自己的早熟悒鬱塑造着濕漉漉的狹窄骯髒的香椿街。紅朵似眞非眞的表白，既是謊言也是眞話，與南方淫靡的街景相輔相成。相比之下，《表姊來到馬橋鎭》則以輕快明亮的手法，抒寫城鄉少女對「美」不同的認同。

縱觀以上各篇，我們不難看出蘇童對短篇小說的探尋立足於塑造小說的靈魂。他以多種小說形式——鬼怪深奧的、淒迷婉約的、樸素空靈的、簡單明快的——來傳達他對現實人生的思索。在他書寫歷史之餘，他對短篇小說多樣性的探索，已成功地為他的寫作開拓了另一個現實的維度，為當代文學貢獻了另一種小說語言。

註：

① 此文係為明報出版社編選的蘇童小說選集所寫的「導讀」，寫於一九九九年。

② 王德威《跨世紀風華——當代小說20家》（台北，麥田出版社，二〇〇二年），頁一五五。

傳記作者的良知眼睛

耶魯大學孫康宜教授的近作《走出白色恐怖》，最近由上海三聯和台灣允晨同時出版。雖然我也很喜歡孫教授的英文學術著作，但最打動我的卻是她的這部自傳。在這本書裏，孫教授記錄了半個世紀她切身體驗過的故事。這些故事，是她個人和家庭苦難的故事，也是國家與社會的一段沉重的歷史。書寫苦難的時代和苦難的個人經歷，很容易落入情緒化的陷阱，把傳記文學變成譴責文學。但孫教授不是這樣，她說：「這本書並非控訴文學，也不是傷痕文學。相反的，這是一本『感恩』的書——對於那些曾經給我們雪中送炭的朋友和親人，我的感激是一言難盡的。那些善良的人大多是被世人遺忘的一群，他們也一直承載着複雜的歷史政治糾葛，因此我要特別把他們的故事寫出來。」於是，她在書中詳細地記錄了每一個給予過她恩賜的人——父親、母親、大舅、二姨父、藍老師等等，點滴不漏，連曾經在逃難中一把抱起弟弟的張我軍先生也沒有遺漏，而對於今世無法回報的親人與好友，她也毫不掩飾地流露出内疚和懺悔的心情。在作者的記憶中，父親送給她的具有紀念性意義的紅豆，母親和二姨爲她編織剪裁的「女書」，大舅最後一次給她買的襪子，張伯伯給她買的冰棒，每一個小小的物件和它後面隱藏的故事，都帶給她無盡的溫暖和愛意。這許多微小的細節在作者的印象記憶中，雖是日常生活中一個個小小的痕迹，卻是人生之路中的一座座發光的燈塔。這種樸實的「感恩」之心就是這本書的眼睛。這一眼睛沒有仇恨，只有感激，這是一種超越世俗糾葛的良知眼睛，也可稱爲良知視角。俄國著名思想家別爾嘉耶夫說，「良知乃是對上帝的記憶」，即對拯救者的記憶。《走出白色恐怖》便是對援助過自己的親人與朋友最深情的記憶。只有最美好的心靈才能揚棄苦難中的迷霧而記住其中最美好的瞬間。以往中國大陸曾有過「憶苦思甜」的群衆運動，但這種運動對過去（歷史）的視角是世俗的眼睛，是對所謂「血淚債」的討索，結果喚起的是仇恨。而孫教授的傳記，喚起的卻是愛。兩種不同質的記憶，兩種心靈方向。我相信孫教授的心靈方向才會帶給人間光明與暖意。

書中的主角——孫康宜的母親是一位有人格光輝的的女性典範。從書中的照片看，母親是美麗的，但她眞正的美麗是內在的。作者六歲時，父親由於親友在政治上的牽連而被捕入獄，並被判刑十年。在這次災難面前，母親沒有被不幸的命運所壓倒，毫不猶豫地用自己的肩膀代替丈夫的肩膀，挑起生活的重擔，自己開了裁縫班，負擔三個幼兒的教育和扶養，給孩子們一個正常和溫暖的家。她不僅沒有拋棄或者埋怨丈夫，反而堅貞地守護着愛情，給丈夫活下去的勇氣與信心。母親善的內心——對丈夫和孩子無條件的愛，把生存的痛苦轉化成了燈光的人格，照耀着家，照耀着作者，讓她生活在困境中依然頑強地追求光明，正直善良的心不斷生長。讀了傳中關於母親的故事，我們就會感到，作者有今天的成就，有健康美好的性格和大悲憫的情懷不是偶然的。作者母親這一具有「永恆」意義的形象及其所代表的情操好像很傳統、很平常，但卻包含着人性的尊嚴和早已被人遺忘的深刻的倫理內涵。中國現代意識走過漫長的道路，傳統女性已經變成了現代女性，這樣的母親形象幾乎變成了「古玩」，但我卻認爲它在後現代的語境裏有着特殊的意義，這是關於現代化是否要付出親情代價的質疑的意義。我覺得，在支離破碎的道德廢墟上，孫康宜的母親形象，反而有着照明和啓示的作用，她讓我們重新反省現代女性的定義，重新思考要不要守住內心的精神力量和倫理道德底線的課題。

《走出白色恐怖》書寫苦難歲月卻能超越苦難，經歷了苦難之後卻能保持平常之心，這是很不容易的。受難之後，容易扮演兩種角色，一是英雄的角色，一是受難者的角色。英雄要求人們崇拜，受難者要求人們報償，這都不是高境界。在《走出白色恐怖》一書中，孫康宜教授拒絕上述兩種角色，而以平常心去敍述苦難，通過苦難的記憶去理解生命的意義和寄託更廣闊的關懷。這一情懷使得她能夠以慈悲的態度去看待苦難，把苦難看成是靈魂救贖的必經之路。《走出白色恐怖》中所描述的痛苦，屬於光明和救贖的痛苦，而不屬於黑暗和地獄的痛苦；也就是說，作者與親人所遭受的一切痛苦，都有着淨化靈魂和提升生命的作用。穿越過艱難的歲月，心靈沒有被燒焦，而是變得更美，對壓迫過自己的人充滿寬恕之心，對幫助過自己的人則時時心存感激，這不是更高層面上的美嗎？薩特說過，「他人是自我的地獄」，可是在這本「感恩」的書裏，他人卻成了自我的天堂。親友們非常具體的愛，就是天堂的第一階梯。雙腳踏上這種階梯的人是幸福的！羨慕之餘，我特別要強調地說，面對苦難而心存感激的情懷在今天的歷史語境下是非常缺乏的。正因爲如此，《走出白色恐怖》背後所提示我們的那些貌似平常的眞理，倒是值得我們思索與記取的。

（原載於《明報月刊》二〇〇三年十二月號）

預言的潰敗

世紀末的文化意蘊，一是頹廢，二是預言。生活在世紀末的人，好似面臨時間的深淵，再往前踏一步，也許會葬身於絕境，也許會神奇地像白鳥拔地飛起，撲向無邊無際的天空。因爲一切都是未知數，於是對未來的憧憬與對末世的焦慮便複雜地纏繞在一起，既讓人在飛升中幻想着死亡廢墟裏妮妮婀娜的悲涼手勢，又讓人在沉淪中領會着電光石火的啓悟。飛升與沉淪在時間的深淵面前，不可避免地同時發生，是暫時的，也是永恒的。

一

在書寫的世界裏，所謂世紀末美學並不受時間的限制，我們在任何時代產生的文學作品中都可以找到。人們常常把十九世紀末的西方現代頹廢美學與世紀末精神聯繫在一起，因爲這類書寫手法屬於內心的時間觀，以沉迷於唯美的方式棄絕塵世，以色情的國度消解虛僞的道德，以死亡的姿態蔑視前進的現代時間觀。然而，我們在中國古典巨著《紅樓夢》中也體會到類似的世紀末美學。一曲意味深長的《好了歌》，一場「天下沒有不散的筵席」的繁華夢，以及作者曹雪芹獨特的唯美手法，都是世紀末美學最好的體現。在中國當代文學中，魯迅《野草》裏對黑暗、死亡、鬼影、墓誌銘異常的眷戀；張愛玲描繪人情世故時揮之不去的蒼涼的人生哲學；師陀小說中潛藏着的「夢隨雲散，花逐水流」的寒涼意蘊；白先勇筆下一群失落的台北人對逝去的上海繁華充滿哀怨、悽婉的回憶與嘆息，無不一一散發着典型的世紀末情緒。雖然這些作品並不都產生於世紀末，我們卻能從這些作品中體會出人生的無奈、悲劇和沉落感，以及文化的幻滅感。換句話說，這些作家把世紀末美學溶入他們對人生及大時代的直接體驗中，和純粹的形而上思考中。

但是，如果我們具體地談論受時間、歷史限制的世紀末文學現象，那麼上世紀末和本世紀末則有很大的區別。同樣面臨着排解不開的世紀末焦慮，上個世紀末的文人更加沉溺於民族的焦慮。雖然晚清小說中充滿了「眾聲喧嘩」（巴赫金語），「偵探小說」、「科技小說」、「公案小說」、「狹邪小說」、「政治小說」等形形色色的小說體裁，在傳統與現代的混雜、交融和碰撞中，熱熱鬧鬧地並存着，然而，晚清作家們比起這個世紀末的當代作家，更加具備對新時代、新社會、新國家的預言熱情。當然，從「狹邪小說」裏那些繁繁瑣瑣的禮儀排場和醉生夢死的艷情中，我們也能閱讀出耽美文字裏不可阻擋的頹廢，但是頹廢與進步極其辯證地共存。主張以「新小說」重建新社會、新中國與新民眾的梁啓超們，意氣風發地在世紀末的廢墟上，重建民族再生的神聖殿堂。頹廢並未阻擋晚清文人對新時代的預言熱情，反而成了這一預言衝動的催生劑。他們對「家國」、對「民族」的深深眷戀，與他們的世紀末焦慮，同時沉浮，同時昇華，啓發着下一個世紀繼續「感時憂國」的中國作家。

二

比起上一個世紀末的作家，這個世紀末的中國當代作家則失去了預言的熱情。他們的世紀末焦慮，不再是民族的焦慮，而是一種生存的焦慮和文化的焦慮。或者連所謂「焦慮」都談不上，頂多只是一種「姿態」，一種屬於文字遊戲的「姿態」。也許是因爲這個世紀革命、進步、新生等意識形態裏有着過多的謊言，也許是因爲高科技、電訊網路的日新月異打破了民族國家的地理界限，總之，世紀末的當代作家缺乏預言的激情，即使他們的文字間無不透散出「惘惘的威脅」，我們卻發現他們早已擺脫了沉重的民族焦慮和尋找家園的情結。

展望世紀末的中國小說，王德威曾以四個方向概括其現象：一、怪誕的美學，如蘇董、余華等的虛構世界詭譎多變，題材突兀惑人，有時刻意凸顯醜怪以敷衍墮落、死亡及瘋狂的生命景觀來瓦解以往「毛文體」當道時的所謂「高大全」文學。又如女作家鍾玲、蘇偉貞和鍾曉陽的一系列鬼魅作品，以及西西、朱天文以動物託喻抒發女性意識，都以怪誕爲女性的書寫策略；二、以詩入史的敍事策略，如格非的《迷舟》、《大年》將歷史抒情化及私有化；三、消遣並消解中國的姿態，如張大春的《四喜憂國》、王朔的痞子文學、莫言的《酒國》及顧肇森的《素月》，都打破了感時憂國和涕淚飄零的古老模式及主題；四、新狎邪體小說的形成，如李碧華的「故事新編」、王安憶的「三戀」及《長恨歌》、朱天文的《荒人手記》等，都詠嘆頹廢、耽溺感傷，在男女歡愛色情中敍述世紀末嘉年華的場景（見王德威：《小說中國》，麥田出版社，一九九三年）。當然，除了王德威所概述的這些小說現象，大陸後來又興起所謂「新寫實小說」，以劉震雲、池莉爲代表，通過細緻入微、滴水不漏的新寫實手法來揭示生命的本原狀態，透露着對世紀末生存焦慮的思索。而在台灣、香港則仍舊續演着「新狎邪體」和「新鴛鴦蝴蝶派」小說，以同性戀的「色情烏托邦」，如《荒人手記》、《鱷魚手記》、《蒙馬太遺書》和《惡女書》等，精心編織着眩目、浮華、喧囂的「世紀末的華麗」。

然而，不知擺脫了沉重的民族焦慮和家國焦慮是一種解脫，還是一種失落？這個世紀末的作家們在現代的聲光色影裏，再不需要爲所謂空洞崇高的「理想」犧牲自我，再不需要爲民族危機而拋棄文字的快感，但是，當他們精明犬儒得玲瓏剔透時，當他們唯有在文字符號中尋找世故與蒼涼的人生時，他們的作品也近乎於「世紀末的華麗」中那些千變萬化、金光璀璨卻空無一物的衣架子。解構了道德感，解構了民族國家的神話，解構了所有的政治寓言和性別寓言，解構了郎才女貌的古典愛情及詩意，剩下的還有什麼呢？唯有廢墟，一片精英文化的廢墟及大衆文化的廢墟，沒有預言，沒有新生，也沒有重建，人實際上是更加無所依託。

三

張愛玲在《更衣記》中曾講過，「時裝的日新月異並不一定表現活潑的精神與新穎的思想。恰巧相反。它可以代表呆滯，由於其他活動範圍內的失敗，所有的創造力都流入衣服的區域裏去。」這個世紀末的當代作家可以說只有生活在書寫中，而他們琳琅滿目、纖美矯情的書寫就像抽空了內容的綾羅綢緞，空有無數令人目不暇接的形式，而內在的精神和思想早已被層出不窮的服飾品牌和衣料質地所淹沒，雖然光怪陸離，卻是那麼地飄忽與迷惘。無怪乎當代小說的讀者越來越少，因爲這些作家們對世紀末的書寫，只是一種姿態，這種姿態連張愛玲的「美麗、蒼涼的手勢」後面蘊藏的人生哲學都沒有，只是模特兒在舞台上匆匆顯露的面無血色的時裝表演。

最近一期的《今天》雜誌上，有年輕作家朱文整理的「斷裂，一份問卷和五十份答案」。問卷中包括這樣的問題，如「你認爲《讀書》和《收穫》雜誌所代表的趣味和標榜的立場如何評價？」由一些年輕作家交出的答案則非常有趣，他們一半以上對這兩本雜誌持否定態度，認爲：「《讀書》是腐朽到無可救藥的。《收穫》是正在走向腐朽的」（賀奕），「《讀書》居然成爲中國知識界最高讀物乃是這個知識界沒有頭腦的證據之一」（于堅），「《讀書》是政府特闢的一小塊供知識分子集中手淫的地方。《收穫》的平庸是典型的，一望無知的」（朱文）。

作爲文化生產的機構，這些雜誌受到了當代青年作家尖銳的批評。一方面這些批評說破了當代文壇的蒼白：失去了提出問題的能力，文人們在精英文化的廢墟上唯有顧影自憐；另一方面也反映出這群年輕批評者自身的迷失、迷惘，沒有着落，毫無精神支撐點。而這種批評對象與批評主體的雙重失落正是世紀末症候。前一陣子，大陸文壇曾呼籲「人文精神」的回歸，但是在九十年代時髦的大衆文化裏，這種呼籲並未得到什麼強烈的反饋。

這是一個預言潰敗的時代，價值失落的時代，作家們蜷居在書寫的家園中，極盡諷刺遊戲的方式，自我消磨於文字的歡娛中。文字的生產、消費和傳播都是難以預見的，雖然仍在努力地日新月異，卻始終逃不脫世紀末所帶來的「惘惘的威脅」和焦慮。如果下一個世紀，書寫的世界被新生代的影視文化及電腦所取代，那麼一切耽美、頹廢的文字是否也就無聲無息地隨風而逝？·也許預言正是「墮落」的開始，所以當代作家們失去了預言的熱情。

（原載於《明報月刊》一九九九年三月號）

輯五：青春遺歌〔註〕

〔註〕本輯均寫於剛出國不久的年月（一九九〇年前後），是青春時代留下的散文詩，故稱之爲遺歌。

沉寂的池塘

總是經過那片沉寂的池塘。不敢放歌，不敢狂語，害怕打破那片沉默。給自己安排了一個又一個孤獨的去處，知道完美其實並不存在，連太陽也不完美。然而，我仍然用想像中的畫筆，一味任性地在天空和大地上塗滿白色。一塵不染的白色，觸目驚心地閃爍。在這鋪天蓋地的白色裏，小心翼翼地踏上一個個腳印，苛求自己，也苛求他人。畢竟，這是唯一的世界。

他說，我有時緊緊抱住自己的影子，走得好遠好遠也不回頭。他說，夜晚到來的時候，他要點起一枝小小的蠟燭，讓我走進他的眼底，永遠也不熄滅。

我喜歡穿一身同樣顏色的衣裙，在微亮的早晨，默默地走，想着同一件事情，一個人會心地笑。很想讀懂歷史，很想讀懂歷史上的人，很想讀懂愛，也很想讀懂很多殘酷與恨。後來，他卻說我是個愛疑神疑鬼的女孩子。

是的，我喜歡眼的執着，那裏有一股奔流不息的力量，像大河的前行，也像大海的深沉。我容易被這種眼睛捕捉，我容易被這種力量征服，從此相信完美並不重要。

我羨慕活得瀟灑的人，捉摸不定的笑容讓我感到疲倦。風總是那麼漠然，不顧心的疼痛。春天，柳絮紛紛揚揚，我渴望遺忘，也渴望被遺忘。一片空曠，一片和諧，不要憂心忡忡地看着我。生命太遙遠，我和你緩緩地走，人生變幻無常，路還很遠很遠，如海如天，望不到盡頭。

他視我爲永恆，大概是那種經歷了千年萬載、重複不變的愛情母題中的「永恆的女人」，可以引導他飛升的被他美化過的女人。這實在是太荒唐。那是傳說裏的故事，沒有一點重量，很輕很輕，只會偶爾滑過你的頭頂，無法在你的身邊微笑顫動。

我來到這裏，只是想跟你分享一行行充滿生命的詩句，還有月光下舞動的青春。

常常忽略了什麼，你搖搖頭，卻不問我。冬天常來常往，就像我有時失落的心境，周而復始地降臨在樹枝上。我的手撫摸着冰冷的樹枝，把眼淚習慣性地埋藏在冬天裏。別怪我，年輕的我，還沒有學會不去敘述痛苦，沒有經歷過大悲大愴，還不懂得冷漠的含義。

有一天，他無意中打破了池塘的沉默，如歌如唱地告訴我，死是唯一的最美麗最寧靜的歸宿。我黯然無語，不知如何反駁他對「永恆」的定義與眷戀。他終於走了，帶着他年輕的生命和彗星般閃爍的一閃即逝的詩情投進了

我喜歡穿一身同樣顏色的衣裙，想着同一件事情，一個人會心地笑(攝於2001年)。

那沉寂的池塘，再也不期盼任何短暫的承諾，再也不點起一枝小小的蠟燭，讓我的愛和許許多多朋友的愛走進他的心底。

我心中埋藏的秘密，就是你對我說過的這句話，日日夜夜籠罩着我的就是這句話。它吞噬着我內心的寧靜，讓我一次次後悔，爲什麼我沒有與你論辯，爲什麼我沒有讓你明白，永恆的生命在你動人的微笑和你執着的眼底。

彷彿有一片雲，連結着你和我，也許什麼也不必說。天鵝不是從天國飛來，也不是往天國飛去，但是潔白負載着天國的信息。

我不願走出，但也許不得不走出。畢竟，那是一個唯一的世界。

生命的眷戀

我曾經是一個很乖很乖的孩子。那時我住在被青山環繞的小城裏，可是卻總是夢想着海邊的一個小白房。那是一間沒有人住的白房子，房子裏堆滿了粗糙的玩具，還散發着海水的鹹味。房頂上站着一排光潔華美的白鳥，在陽光的照射下，像一群可愛的小天使。

小小年紀，我就總是夢見一道閃電把白房子撕得粉碎；總是覺得白鳥有一天會死得很慘；總是想到將來有一天我會因爲天空太黑而哭泣；總是盼望乘着不知名的飛碟逃離乏味的學校，可是無休止的飛行又讓我害怕。

那時，遠在北京工作的父親還不知道他的女兒這麼愛做噩夢。現在想起來，我膽小的性格與父母長期的兩地分居很有關係。由於調動不到一起，我十歲以前的童年是與母親和奶奶渡過的。雖然不乏母性的愛撫，可是缺乏父親在身邊日日夜夜權威性的保護。我性格中陰暗的一面大概在童年中早已種植下了。

後來我跟媽媽從南方來到北方後，第一次發現自己長得很黑。而且，每次開口，班裏的同學就哈哈大笑，福建的口音讓我在北京做了個徹頭徹尾的異鄉人。我也第一次知道白房子不能跟我走這麼遠的路，第一次知道其實白鳥很懶，它們太依戀白房子，不肯伴我遠行。

我越來越自卑，許多陌生的光亮任性地在我頭頂晃動，照得我看不清楚自己。考上北大後，夾雜在許許多多從外鄉來的同學中，他們也黑，也一口土腔土調，我不再孤單，故鄉的村莊和海水開始學會飄動，偶爾還帶來一些泥土的笑聲和藍色的旋律。可是不久，我們不約而同地都迷上了薩特和海德格爾的存在主義，生存和死亡的問題攪得我們日夜不安，不分晝夜不知疲倦地討論着死亡的方式。哲學引領我們飛升，不錯，遠離塵囂的最寧靜的去處莫過於死亡。

記得我曾最乾脆地爲自己設計了一個死亡的方式：就那樣一聲不響地走向藍幽幽的大海，就那樣一聲不響地順着藍幽幽的海水，從北方流回南方，回到自己久別的白房子。那排整齊的白鳥一定會驀然驚起，撲向天空。我的微笑從來就沒有過安排，可是死亡方式卻是預先設定的。

再後來，我又從北京來到了紐約，完完全全變成了一個都市人，蒼白的臉，蒼白的天空，蒼白的大地，還有蒼白的嘆息。童年夢想中的白房子卻變得更加富有光澤，時時照耀着我，讓我在繁華的都市生活裏不至於迷失，讓我時時刻刻聽到松林的濤聲與大海的濤聲。

出國留學不久，我就得知北大詩人海子選擇了臥軌死亡，我自己的同班同學、詩人戈麥也自沉於萬泉河中。他們天才而短暫的生和毫不猶豫的死讓我意識到自己對生命的眷戀。死亡屬於詩人的幻夢：淒艷而美麗，但離我還很遙遠。我心目中的白房子和會飄動的故鄉讓我更執着於人生過程中的一切，更眷戀陰雲聚散後的空間人間，那是亮麗可愛的藍天，那是剛剛被細雨溫情滋潤過的綠草，那是素潔的花朵

一九九六年與先生黃剛攝於紐約家中

和透明的秋水。我開始不在乎人生是場喜劇還是悲劇，只希望能夠收集好所有煥發着光明的美麗瞬間。

似夢人生

偶爾翻開自己以前在北大讀書時寫的稿子，那種感覺是非常奇妙的。好似翻開一本照相簿，看着自己兒童時期和青少年時代懵懵懂懂的眼神和意氣煥發的光彩，恍若隔世，又彷彿就在眼前，唯一捉摸不透的是這些照片在多大程度上能代表個人歷史的眞實。

大學時代的我，常常被自己的同學鼓舞着，一起寫一些以爲高深其實有時連自己也不知所云的文章。那時我們八五級中文系文學班在北大校園文壇中非常活躍，詩人奇多，像我這樣傾向於搞文學理論批評的人常常迫於同學們的詩情才情的壓力，也動筆寫一些感性的東西。現在讀起來，只是詫異當時的我怎麼於感性中還是那麼理性，那麼不動聲色地描述着自己對未曾經歷過的人生的領悟。

在過去那些未發表過的文稿中，有一首散文詩，題爲《人生如夢》。

有一有條小巷千真萬確存在着。它兩旁的小房子整齊而精妙，而且一概沒有屋頂，黑夜緩緩地降臨，煙霧籠罩所有的房子。一種温柔的聲音把迷濛的你，帶進小巷的深處，你試着與這種聲音對話，覺得周圍充滿了你渴求的愛，讓你忘記黑暗，忘記恐懼，忘記自己還在不停地走，不停地往小巷深處走。

淡淡的月亮在你的眼前越變越大，你醒悟過來，心開始變得沉重。煙霧一大片、一大片地舞動。令人難以置信的是，沒有屋頂的房子也沒有門和窗，房子不是為你準備的。那種温柔的聲音在你醒悟之後，轉成一種滿含痛苦的淒清的呻吟。你雙眉緊鎖，卻無法拒絕這種聲音，前方無涯，後面的路也隱去了，你依舊不停地走。

淚水蕭然流淌，你為小巷傷感，淡淡的月亮越變越大，四周有序而陰森，小巷無語地延伸。過了很久很久，呻吟的聲音突然消失，你再也找不到一種聲音，連自己的呼吸聲和腳步聲也聽不見。你記不起自己曾經擁有過什麼，又曾經失去了什麼。只是悠悠地走。

這條小巷千真萬確地存在過，在你消失的時候，它也無影無蹤。人們找不到它，也找不到你。

未來的你依舊在小巷　悠悠地走。

我的故鄉

我有一個誰都無法走進的故鄉，在風中輕輕地搖。每當我獨自慢慢地走，它就會對我輕輕地搖，輕輕地笑，沒有泥土的芬芳，但有一條父親的故鄉裏早已乾涸的清亮的小溪。

螢火蟲發出微弱的光，在我故鄉的夜晚裏哦吟飛舞，但我很少遇到牠。

我不是爲了故鄉而活着。我的故鄉從沒有一個固定的畫面，總像天上的白雲不斷變幻。有時連我也分辨不清是我隨着它走，還是它隨着我走。我默默接受它賦予的一切，它也耐心傾聽我的歡歌與悲歌。那條清亮的小溪像是故鄉唯一隨身帶着的行李，從南方到北方，從夏季到冬季，小溪的顏色一直是朦朧的。

故鄉後來隨我來到了美國。剛來美國的時候，我試圖重新塑造一個全新的自我。在我心中，飄洋過海的大快樂就在於新我的誕生。屈原式的「心冤結而內傷」，「折若椒以自處」的幽怨自賞，「魂一夕而九逝」的憂鬱情思，都離我非常遙遠。我的自我塑造是通過與故鄉斷斷續續的對話實現的。對話有如纏繞綠樹的風，畫着虛虛實實的線條，從樹頂到樹根，一次又一次勾勒，而所有勾勒的圖畫又總是轟轟烈烈地破碎，破碎如花。

童年的泥土已經模糊，舞動着的溪水猶如世界冰涼的訴說。也許因爲急於自我重新塑造的喜悅令故鄉困惑，也許故鄉同樣也厭倦了它自己單調的畫面，也許因爲我再也描述不清故鄉原本清晰的面孔，不管怎樣，故鄉已經決定暫時離開不再是昨天的那個我。

故鄉有一天很溫柔地在我耳邊說，它要離開已經長大的我，去很深很深的海底。它太孤獨了。

我無言以對，沒有人可以走進它，這並不是我的安排。但從我出生的那天起，我在故鄉裏就只看過我的影子。故鄉臨走的時候，爲我展示了它要去的海底，那裏深奧而美麗，足以負載世上所有孤獨的心靈，足以令所有孤獨的心靈恣意徜徉，自由揮灑。故鄉爲我展示的是一幅宇宙奇景，我爲此興奮不已。

故鄉臨走時對我輕輕地搖，輕輕地笑。它說在我思戀它的時候，它會踏海來看我；它說也許再過不久，我會再次隨它遠行。此時此刻，我恍然大悟，其實故鄉就是我的精神之旅，我的每分每秒，深刻的或膚淺的，超越的或瑣碎的，悲傷的或喜悅的，一切人生經驗就是我與故鄉之間的聯繫。這種聯繫是情感的也是精神的，是生活的也是哲學的，是永恆的也是瞬間的。因爲這種聯繫，我知道對自我的重新塑造不可能是「全新」的，但也不可能還停留在往昔的搖籃。我在變化，故鄉也在變化，我們一起徘徊在許多文化文明的邊界上，這並不是幻象，而是眞眞切切的生活。在我眼裏，在你心裏。

玫瑰色的秋葉

有許多許多重要的事情戲弄着人類。澄明的早晨，露水神經質地滾來滾去，注定不幸的尋找者唱着怪怪的音符。

周而復始的焦慮在我體內飄蕩，我害怕凋零的秋天。玫瑰色的樹葉撒落在院子裏，閃閃爍爍，想帶給我神話般的心境，可是我只是一個旁觀者。

昨夜，一個實實在在的月亮壓得我透不過氣來。模糊的鬼影在一旁，無聊而幽默地說話，還常常哈哈大笑。它笑的時候，所有優雅的觀衆都跟着笑出淚來，喜悅的透明的眼淚。紅紅的旗子上寫滿模糊不清的字眼，從這一邊飄到那一邊，從那一邊飄到這一邊。

我記憶中的旗子是雜色的。當我們興高采烈地用不同顏色的布料或紙片製造出一面又一面怪異好玩的旗子時，心裏洋溢着狂歡的喜悅。不久，這種無可名狀的充滿青春熱情的狂歡情緒，走入社會後一點點被腐蝕，最後竟然消失得無影無蹤。

隨着時間和空間的遷移，我對短暫青春的記憶變得無端無緒，絲絲縷縷，捉摸不定。偶爾，記憶會穿過鱗次櫛比的高樓大廈的間隙，溜回熙熙攘攘的人群，駐足在斑斕發光的牆角；偶爾，記憶就像一張發黃的照片，原先的色彩已經剝落。

去年冬天，美國的十三頻道要製作一個有關中國的節目，找到我來回憶自己經歷過的歷史。他們不厭其煩地囑咐我要講自己的經驗。我發現我同這段歷史已經別離，無法再與它同悲共泣。在預備捕捉眞實的攝影鏡頭面前，我覺得從我嘴裏流出來的語言又沉重又輕浮，缺乏質的眞實；過去的歡樂和痛苦在我的眼裏，變成霧中花，水中月，朦朦朧朧。我心中非常惶恐，想像中的觀衆用懷疑的眼光上上下下地打量我，他們的眼光無形中攪亂了我精心梳理過的頭髮。雜色的旗子在剎那間變成了統一的紅色調，然後像未綻放的花朵一樣，枯萎損殘了。我很努力地反反覆覆地描述着我的走過的青春，我的專注與沉迷足以讓自己驚嘆不已。可是眞實的過去是縹緲的風雨雲霧，空虛難持，我在語言的流動中滿懷失落。

院裏玫瑰色的樹葉又燃燒起來，既從容又安詳，沒有任何怨言，沒有任何名義。望着動人的燃燒，我努力地理解着紅色的語言、紅色的感覺、紅色的浪漫、紅色的悲壯還有紅色的消失。

美是那麼悲壯，悶聲不響，拖着長長的煙霧。

有許多許多重要的事情苦惱着人類，澄明的早晨中露水被忙碌的人們遺忘。玫瑰色的樹葉週而復始地降落在我的院子裏，週而復始地燃燒，如火如炬。

輯六：父親情懷

從抽象的父親到具體的父親

當我知道台北九歌出版社準備出版《共悟人間——父女兩地書》的時候，感到特別高興。因爲這是我第一次在台灣出書，而且是關於父親的心靈和我的心靈的書。我們把文學看作是心靈的事業，「九歌」能喜歡我們這本書，使父親和我都覺得遠方也有心靈相通相惜的知音。

二〇〇一年《共悟人間》在香港出版後曾連印五版，被香港電台和文康署評爲「二〇〇二年十本好書」。我除了看到金庸、陸鏗、戴天、潘耀明、薛興國等伯伯叔叔衷心讚美的文字而感到鼓舞之外，還從這之前香港國際書展的徵文比賽結果中得到鼓舞。高中組的冠軍和初中組的第三名寫的都是《共悟人間》的讀後感。書籍能進入少年朋友純正的心靈和筆底，在校園的淨土中緩緩流動，傳給我們一種非常光明的信息。父親常對我感慨，他熱心支持的故國現代化潮流，竟然出現兩個他始料未及的階層：一個是花天酒地階層，一個是行屍走肉階層。前者爲官員與暴發戶所構成，後者則是由許多痞子和迷失的年輕人所構成。這兩個階層都可能是只有慾望沒有精神追求的肉人。如果說，美國的現代化曾構成「垮掉的一代」，中國則可能會構成「垮掉的兩代」。倘若如此，那麼經濟發展的代價眞是太大了。父親在書信中對我訴說的一切，也許與中國的歷史語境有關，他顯然希望我不要與時代大潮中的淤泥濁水同歸於盡，而要守住向眞向善向美的道德方向，守住心靈底層的那一脈人性的幽光。父親在感慨出現「行屍走肉」階層的時候，看到香港少年還那麼喜歡我們的書，而九歌出版社的陳素芳女士和蔡文甫先生又那麼熱心支持我們的書，自然是喜悅不已。對此，父親又說他愛說的那句話：所以我們對於故國和人類都不能失去信念。

我能通過「兩地書」的形式和父親做一番心靈交流，實在非常幸運。父親因爲和同一代人一樣，被政治運動與文化大革命剝奪了大半個青年時代，所以特別珍惜時間。漂流海外之前，他在國內常常忙得沒日沒夜。那時我先後在北京二中和北京大學讀書，常從報刊上聽到他的愛的呼喚。劉心武叔叔說：我愛每一片綠葉。父親給劉心武的書作序，更舉起愛的心靈，「問候每一棵小花與小草」。可是，在我眼裏，父親顯得抽象，他只生活在事業中，不在家庭中，他的愛只是觀念上的愛，對整個人類的愛，對我一點也不具體。然而，出國漂流之後，他完全變了。對於他來說，他從群體中剝離了下來，充分個人化，完全以個體的眼睛面對世界，面對歷史，同時也充分地生命化了，完全以生命感悟宇宙人生。對於我來說，感到父親的愛具體了，具體到和我討論一本一本書籍和一個個問題，具體到和我及妹妹一起開着車在洛磯山中走過一個又一個紅葉滿坡的峰巒與峽谷。從觀念到生命，從「全人類」到「一個人」和一個個具體的朋友、親人與心靈，這種轉變，使我獲得了與父親對話的可能。

如果不是和父親對話，我恐怕不能像今天這樣了解我的父親。我早已知道父親的本質是個思想者，或者說是個追求詩意存在的思想者，但不太了解，他是一個活在內心深處的人。他寫給我的座右銘是嵇康的「外不殊俗，內不失正」，八個字裏，「內」才是關鍵。外不殊俗使他熱烈地擁抱社會，絕不故作高深和擺架子，讓人感到隨和得像個農民；內不失正，使他拒絕一切世故與心機，永遠聽從良心的內在律令，緊緊護衛住自己的心靈原則。我發現他的散文很像加繆的散文，展現的是詩意綿綿的思索，是被血液所灌注的思想。他很高興我能如此理解他，但補充說，你注意了嗎？加繆說他所作的一切，不是出自頭腦，甚至也不是出自品質，而是出自從小就形成的追求光明的本能。父親所說的「本能」，就是生命，他的一切文字都是從生命深處湧流出來的，包括思想，也不是邏輯的結果，而是生命的結果。所以我們的兩地書，也可以說是父女在生命深處相逢後的一番訴說。

（本文係《共悟人間——父女兩地書》台灣版序）

用生命閱讀美國

父親常和我說，作家大約有三類：一是用頭腦寫作的；二是用心靈寫作的；三是用全生命寫作的。他說他最喜歡用全生命寫作的作家，也喜歡用心靈寫作的作家。其實，這種分類也可用於閱讀。父親作為一個讀書人，他的閱讀雖然也用頭腦，但多半是用心靈與生命。更有意思的是，他在觀察大自然與社會時，也喜歡用讀書人的生命視角。出國前他寫《讀滄海》，把海洋視爲大自然不朽的經典，真讀出了新意。出國後他又把美國和世界作爲一部大書，不斷閱讀。閱讀時表面上看用的是頭腦，實際上用的是生命。用穿越過艱難歲月的生命閱讀，用滾過泥巴、滾過革命風煙的生命閱讀，用被飢餓煎熬過的生命閱讀，和我這種純粹在書本裏討生活人的閱讀相比，的確會讀出不一樣的東西。我陪父親到華盛頓參觀傑弗遜紀念館，同樣面對牆上傑弗遜總統的名言。他讀後就激動不已，就抄錄，就「硬譯」，就按照他的理解用中文表述給我聽：「在人類文化的大書中，誠實是它的第一篇章」，「在美國的字典裏，沒有絕望二字」，「我向上帝宣誓，我憎恨和反對任何形式的對於人類心靈的專政」！經過父親的表述，這位已故的美國總統的思想更帶情感色彩。如果不是用生命閱讀，絕對不可能如此進入角色。和父親一起站在傑弗遜紀念館兩個多小時，才明白用生命閱讀是什麼意思。我記得少年時讀小說，還常爲書中人落淚，那時尚能用生命參與閱讀。到了美國後，讀書爲了獲取碩士、博士學位，滿腦子是概念與邏輯，閱讀時與書中人物情感拉開距離，反而只用頭腦不用生命了。看到父親年齡大了，閱讀人間還有一股生命激情，眞是覺得父親童心未泯。因爲保持着好奇的眼睛，所以他的《漂流手記》才一本接一本。《閱讀美國》應當算是第七卷了。

中國的大門打開之後，到美國的學子和各類人員越來越多。凡是到過美國的，都樂意談論美國。儘管對美國的認識差別極大，有衷心喜愛的，有十分失望的，有愛恨交織的。不管怎樣，總還是喜歡評述它，因爲它畢竟是個巨大的存在，對人類生活產生着無與倫比的影響的存在。美國雖是透明度最高的國家，但要眞正了解她，也並不是容易的事。有些在美國司空見慣、極爲平常的事，父親卻覺得特別可貴，如how do you do、excuse me 等口頭語，他就覺得這是一種生活之鹽，美國的肌理。父親雖然用生命看美國，目光帶着個性，但他畢竟是人文知識分子，天生有一種價值中立的立場，因此閱讀美國時又帶着中性的眼光，既看到美國的自由價值，覺得地球上有這一自由的參照系是幸事，又看到美國濫用自由導致荒誕的一面，意識到站立於北美大地的強大國度並不就是理想國。通過美國，父親看到人類的困境，這不是某個層面的困境，而是全面的困境。科學技術的高度發展，生存的壓力也跟着增大，這是怎麼回事？在物質的燦爛燈光下，人類的童年在縮短，少女的氣質變得粗糙，孤獨的富人對狗（寵物）很好，對人卻很壞。現代化、全球化的熱情如果導致人間的冷漠，那麼這種「化」還有什麼意義？父親寫《抽煙的少女》，挖苦「寵物癖」，調侃「富人喜劇」，批評「科技狂妄症」，他看到一個太實用的國家也往往太缺少詩意。

最近幾年，父親的思想一直在往前走，特別是往生命的內心深處走。本書的第一篇文章《醉臥草地》，看起來特別輕快，卻給我們一個信息，這就是他已把生命語境看得大於歷史語境與國家語境，而他自己的生命也在不斷的感悟中獲得更大的自由。在此心境下，他既愛中國，也愛美國，對所有的生命都懷着慈悲之情而無功利之思，對於美國也是這樣，正如他所說，偌大的美國，對於他來說，只是一部可供閱讀的大書和一片可供自由馳騁思想的草地。草地是父親心中的自由圖騰。草地不僅有利於他的身體健康，也有利於他的靈魂的健康。

最近兩年，他到香港城市大學中國文化中心擔任客座教授，但沒有停止對美國的關注，他在和我的通信對話中常常談論「九一一」事件後的美國。可惜我們的通訊此次多數不能收入書中。我希望父親回美國後能繼續閱讀北美大地，把中國這部大書與美國這部大書，作比較性的閱讀，這應是人生的樂趣。父親引用鄒讜教授告訴他的話說：中國與美國在一百多年來的關係，很像朱麗葉與羅密歐的故事。這一比喻，並非全是浪漫與虛妄，《閱讀美國》中涉及到兩國的今天與未來的文字，都可以聽到作者關於和平與安寧的呼喚，呼喚的背後也是對生命的愛與信賴。

二〇〇二年五月十六日於美國

《讀滄海》序〔註〕

今年我利用暑假的時間，挑選了一些父親的散文編成了兩本集子。一本收集了部分他在一九八九年漂流海外之後所寫的作品，另一本則是他在出國前的創作。這兩本集子之間的差異是很大的：出國前的作品屬於散文詩類，既詩化又抽象，而且充滿了生命的激情；出國後的作品增加了敍事的因素，在對人生的思索上流露出一種蒼涼感和孤寂感，並含着自嘲式的自我解構。雖然兩本集子從形式到內容上有很多不同之處，可有一點是相同的，那就是：它們都是父親人格的再現與再造。

說眞心話，我更加喜愛父親在海外寫的《漂流手記》系列，因爲這一系列散文超越了土地和國家的界限，探討着自我與他人、此鄉與他鄉等關於人的基本生存的問題，爲所有世紀末動盪不安的心靈尋找一片可以暫時安息的家園。當然，我的這一偏好還有一點私心在裏面，因爲父親到了海外之後才眞正還給了我和妹妹一個完整的父親。在國內時，他屬於社會，屬於國家，屬於事業，整天忙忙碌碌，無暇顧及家庭，正如他在《尋找的悲歌》裏所寫的：「疏遠了那麼多嫵媚的青山，疏遠了那一輪明朗的清月。連一個夏日的晴空，都不能獻給酷愛自然的天性；連一個秋天的黎明，都不能獻給心愛的女兒。」在國外，雖然爸爸總是處在漂流的旅程中，可他最大的改變，就是從大時代的拚搏回到日常生活中，具體地關懷我們，具體地思考人生的終極意義，具體地品嚐孤獨的痛苦和「悟道」的快樂。以往他信奉的是浮士德精神——永不休止地追尋，高昂地唱着尋找的悲歌；現在他在浮士德的積極進取精神上，又加了另一層陶淵明式的從容，從日常生活中所體驗到的生命本原出發，繼續尋找靈魂的家園。不過，父親同輩的一些朋友，也許與我的意見正好相反：他們更喜愛他在國內寫的散文詩，因爲那些令人激動不已的旋律是屬於他們那一代人的。

我選編的這本《讀滄海》中的散文詩，都是父親在一九八九年之前寫的。他到海外前曾在大陸出版過六本散文詩集：《雨絲集》、《告別》、《深海的追尋》、《太陽、土地、人》、《尋找的悲歌》、《人間、慈母、愛》。這些集子後來被華夏出版社收集出版了一本《劉再復散文詩合集》。我知道讀父親散文必須和八十年代複雜的文化內涵結合。現在有許多批評家把八十年代的文化現象當作一個案例來研究，對當時崇尚的菁英文化提出批判，並呼籲大家要重視研究九十年代的大衆文化現象。我理解這一選擇，但不喜歡完全把這兩個時期對立起來。也不喜歡對這兩個時期進行過於簡單化的宏觀性的概括與描述，更不願意過早地做出褒貶的價值判斷來。一個作家在多大程度上能塑造歷史，又在多大程度上被歷史所塑造，這本來就是一個雙向的問題，也是一個難以準確回答的問題。我父親在國內寫的這些散文詩，表現了他們那一代人在八十年代中波動不安的情緒，這是個人的，也是集體的。他是那個時代的弄潮兒，也是那個時代的結果。當我透過世紀末的頹廢文學，重新看待父親以前寫的散文詩時，不禁被他詩中所迷戀的太陽神與人格神的光芒所灼痛，不禁感嘆他那種如醉如癡的對生命的熱情。

記得我在北大讀書的時候，由於讀偏了西方存在主義哲學，產生了悲觀的情緒，這大概是那時北大的時髦病，我們班上就有年輕的詩人自殺了。我那時對人生的悲觀與幻滅，並沒有足夠的人生體驗來支撑，而更多的是從書本上得來的，加上有一部分是「爲賦新詞強說愁」。我常常以一種懷疑的眼光，去讀爸爸寫的散文詩。儘管有那麼多讀者讚賞不已，我仍然無法理解爲什麼經歷了那麼多苦難的他，還會對生活如此情意綿綿。對我而言，他的詩簡直是生命復活後的大狂歡。他從對自身個體存在積極肯定出發，然後波及到熱愛每一片綠葉。他好奇地一遍遍地讀着深奧的大海，並被「自我克服與自我戰勝的蔚藍色的奇觀」所感動。他懷念故鄉榕樹的生命進行曲，歌詠大河不盡的奔流，禮讚山頂攀登者所擁有的勇敢無畏的「過客」精神。這一切都讓我覺得他過於浪漫。然而，當我成熟一些以後，尤其是走過了躁動不安、懷疑一切、解構一切的青少年時代後，我開始逐漸理解父親的散文詩了。可以說，他的散文詩是一種不屈的理想，是被壓抑過久的生命的爆發，也是對人生旅程中最基本的「愛」的擁抱。也許現在，當我們一談到人道主義的關懷時，首先會覺得它早已過時了。但如果我們看到八九十年代的中國文壇在短短的十幾年之內，拚了命似地追逐着西方的浪潮（有些評論家已經斷定中國當代文學已經從現代主義走到了後現代主義），我們是否應該意識到我們依舊被籠罩在「進步」的意識形態底下，忘記了在這信仰大潰散的時代裏，我們是否還需要有一些最基本的依託。

在重新進行選編的過程中，我注意到父親的散文詩有三種不同的形式。一種是傳統意義上的比較標準的散文詩，短小精悍，五百字左右。在這類散文詩中，父親對他的母親、故鄉、土地有一種特殊的依戀。因爲「文化大革命」的所謂理性，實際上以最不理性的方式，把原本生活中最起碼的溫馨，人和人之間最起碼的尊重與關懷，全部無情地毀掉了。連父親故鄉裏清亮的小溪，翠綠的山林，大姊姊般的老師，童年中美好的記憶，都被革命摧毀了。一切的一切，全都變成了革命的戰場，人們總是處於一種鬥爭狀態與革命狀態。所以，父親這些寫得比較早的散文詩，就是在挖掘出那些未被狂熱佔領的孩提王國，即那些生命的原版，那些未被意識形態修改過的生命初稿。正如俄國詩人葉賽寧說過的，「誰找到故鄉，誰就是勝利」。父親幸運地找到了故鄉，而且對着故鄉眞誠地懺悔。他對故鄉表示，丟失了童年時代那純眞的一切，自己也有一分責任。父親在文學理論中，曾提出過「懺悔意識」，那就是個體應該與全民共懺悔。他認爲只是譴責是不夠的，更重要的是要回到個體的責任中，省悟到自己也是個罪人，曾經進入狂熱時代的「共犯結構」之中。

父親對散文詩的形式也力求有所突破，這些突破表現在其他兩種形式中。一種是篇幅比較長的詩化散文，大概在三千字左右。他的《讀滄海》、《榕樹，生命進行曲》、《慈母頌》、《愛因斯坦禮讚》等都屬於此類。這類散文中，我最感興趣的是父親詩中的「雙元宇宙」，即內宇宙與外宇宙。在《讀滄海》中，他這樣寫道：

你，偉大的雙重結構的生命，兼收併蓄的胸懷：悲劇與喜劇，壯劇與鬧劇，正與反，潮與汐，深與淺，珊瑚與礁石，洪濤與微波，浪花與泡沫，火山與水泉，巨鯨與幼魚，狂暴與溫柔，明朗與朦朧，清新與混濁，怒吼與低唱，日出與日落，誕生與死亡，都在你身上衝突着，交織着。

實際上，他是在借用外宇宙來談內宇宙，借用滄海、榕樹、大河、高山、山頂等等大自然的意象與力度來雕塑人的內宇宙。這些散文詩，是八十年代思想剛剛開放的象徵。那時的父親，好像從遲到的青春中剛剛覺醒，好像經歷了一場大徹大悟，一場生命的涅槃。於是，他的詩充滿了野性的呼喚，人性的渴求；他急切地喚醒被虛僞理性所壓抑的母愛和大自然的愛。說他的詩有一種力度，是因爲這種內外宇宙的結合充滿了磅礴之氣，非任何荊棘坎坷所能阻擋。他的散文詩一方面常常流露出很濃的浪漫氣息，另一方面也對大自然做着深刻的思想性和文化性的閱讀。

父親對散文詩的另一類嘗試，是長散文詩體，如《尋找的悲歌》，長達五萬字，共一百二十五節。在《尋找的悲歌》中，整篇的主旋律就是尋找，從孩提時代尋找到中年時代。沒有終點、沒有句號、沒有結局的、悲劇式的尋找，恰如他的人生之旅。在我看來，《尋找的悲歌》正是父親在海外寫的《漂流手記》系列的序曲，它揭開了尋找靈魂家園的序幕。這組長散文詩寫於「反自由化」運動期間，那時，父親由於心情不好，去南方散散心，於是寫下了這組內含生命的張力與矛盾的散文詩。以往的路上只有菩提樹和野玫瑰等怡美景色，現在卻是地獄邊上蜿蜒着的路，是連路也沒有的路；以往落入眼簾的只有「我和同類的靈魂原野中升沉着的太陽」，「一片片光輝奪目的內宇宙」，現在則同時也發現「無所不在的黑洞」，「黑霧中的幽靈」，「黑霧中的眼睛、手和頭顱」。他既絕望地做着死之夢，又努力地越超着黑洞，與黑洞爭奪自己。在這裏，我覺得父親顯然受魯迅精神的影響，不僅有對荒謬、虛無的領悟，也有反抗荒謬、不懈奮鬥的韌勁。父親的尋找旅途是漫長的，與他以往的單純和奔放的旋律不同，這一旅途時時泄露出「異質」的痕迹，是一個充滿痛苦、悲劇和矛盾的張力場，沒有一點點矯情造作的成分。在我編的這本散文詩集裏，我最喜歡這組長散文詩，因爲它的內涵更爲深邃，它包含着叩問人的存在意義的對話，這些對話是父親的性格組合，也是那個時代的多聲調的組合。

從古至今，評論家總愛說，「文如其人」。其實，這一命題並不帶有普遍性，創作主體和現實主體並不一定是相等的。但是，「文如其人」用在我父親身上，卻是非常的適合。爸爸的散文詩和散文，說到底，就是人格和性情的自我雕塑，是詩化的人格表現。在《雨絲集》中，他寫道：「繆斯這樣告誡世界：先做人詩，後做詩人。」所以，他對大自然的閱讀，對故鄉的回憶，都是對內宇宙的探詢，是以雙元宇宙的精華來冶煉「人詩」。對他而言，詩人這個桂冠是假的，如果詩人的關懷只停留在文字的華美而無人間的焦慮。曾經歷過「生鏽的歲月」的爸爸，給我的人生哲理啓示是很多的，而我最喜歡的還是他的袒露眞性情的天眞和勇氣。這種剛勇，可與他寫的《蒼鷹三題》中的站立在火焰山旁的鷹相比：

這裏沒有野獸，也沒有甲蟲和螞蟻。滿目只是漠漠黃沙。啊，火焰山，是你被生命所遺忘，還是你遺忘了生命？

然而，鷹就在這裏站立着。堅爪就像鋼鐵鑲嵌在岩頂上。不知道他為什麼選擇這個地方歇腳？也許是為了燒焦自己，完成一次寓永恆於瞬間的死亡和更換生命的涅槃；也許是為了實現自己，準備向着光潔的穹廬展開更遠大的飛翔；也許為了乾淨與清白，為了遠離被覓食的雜攪混的爛泥和天葬中的那群爭奪屍首的梟雄；也許為了安寧，這裏雖然熱浪翻滾，但沒有浮囂與聒噪；也許什麼也不為，只因為茫茫天宇下根本就沒有路沒有落腳的地方，只有赤條條的火焰山，願意接受他的漂泊。

我讀父親的散文詩，總是被這種生命的力度所感染。因爲有了這種力度，他永遠都在尋找，永遠都不停息，不懼怕望不見頂的高山，也不懼怕深不見底的幽谷。朋友們常說他雖然是理論家，可是很有詩人氣質。我也非常同意，其實，他不僅有詩人的氣質，還有詩人的童心。他在海外尋找情感的故鄉，最後找到的還是那一片天眞天籟的孩提王國。

一九九八年十月於美國馬里蘭州

註：《讀滄海》係我爲父親編選的散文選集，已於一九九九年由安徽文藝出版出版。

理性中人與性情中人的雙重雕塑〔註〕

偶爾翻翻父親收藏的友人與讀者的來信，發現有位朋友這樣寫道：讀你的書，發覺你是兩種人，一是理性中人，一是性情中人，而兩者都是眞實的。這位父輩朋友講得很好。我父親一面從事文學與人文科學研究，生活在理性之中；一面又寫散文詩、散文，在文學中傾注自己的所憎所愛，生活在率眞的性情之中。陀斯妥耶夫斯基在寫給他哥哥的信中說，他的創造一是靠「頭」，精神的最高需要的頭；一是靠「心」，有肉有血有愛的「心」。即使頭從兩肩上落下，身體內的心還會照樣訴說。他是腦中人——用「腦」生活的人，又是心中人——用「心」創造的人。一個作家，恐怕其本色應是心中人。康德曾說，他一生的大事件都是在大腦中展開的。如果借用康德的語言來描述，那麼，可以說，我父親的寫作，一半是在大腦中展開的，一半則是在心靈中展開的。他的《性格組合論》、《論文學主體性》等主要是在大腦中展開，而他的散文則主要是在心靈中展開。他用全生命、全人格抒寫他的心靈自傳，毫無掩飾。他的散文就是他的人格象徵與心靈雕塑。只因爲他畢竟以文學研究爲職業，又喜歡作歷史與哲學的探討，所以散文中除了蘊含着他的眞情眞性之外，又凝聚着他的種種思索，因此，他的散文便成了性情中人與理性中人的雙重雕塑，精神之旅與性情之旅的最直接、最坦誠的眞實紀錄。

我常常覺得，上帝好像故意跟我父親開了一個巨大的玩笑：把向來有着很深「戀母情結」的他突然拋到了一個陌生的土地上。在毫無準備的情況下，他與故土之間絲絲縷縷的聯繫突然被割斷了。陌生的國度，陌生的面孔，陌生的語言，陌生的文化，這一切伴隨着他進入一九八九年的海外漂泊生涯。由於他年近五十才開始學着適應新的環境，遠不是「靈童」，既無法完全割捨對故國的情感，又不能完全認同新的文化規範，於是他的「投胎變成了投荒，生命就在兩個母體之間的荒野地裏存活。本來就怪的胎兒變得更怪。思想和文字大約都帶着隙縫中的怪味和荒草味」（見《轉世難》）。我很喜歡「隙縫」這兩個字，它比「邊緣」或「極處」更好。「極處」總是連結着一種「高峰體驗」，艱苦攀登後至少還有一分「春光無限好」的大喜悅；「邊緣」也總是能夠伸展，把你引到一個新世界面前，給你某種重新進入中心的希望；而「隙縫」則只能是掙扎與苦鬥。在「隙縫」中，你別無選擇，只能在沒有路中尋找路。

記得在國內時，父親的散文中有「山頂」的意象。這一意象很有魯迅《過客》中的精神：不管山頂上有什麼，不管是鮮花還是墳墓，總是要攀登，人生的快樂就在這攀登的過程中。到海外後，他卻以「隙縫」或「谷底」來代替充滿希望與激情的「山頂」意象。父親在《人論二十五種》中就稱自己是「隙縫人」，生活在兩道高牆、兩種文化的隙縫之中。有的讀者也許會誤解父親已從積極的「山頂」落入消極的「谷底」與「隙縫」中。其實不然，正因爲他能夠領悟人生難以逃遁的困境和存在的悲劇性根柢，才敢於正視谷底與隙縫，在谷底的絕望中反抗絕望，在隙縫的窒息中反抗窒息。他在逆境中贏得了更深刻的詩意，即順境中絕對沒有的詩意。

在給我的信中，父親曾伸延喬尹斯的話這樣寫道：「漂流就是我的美學，漂流就是沒有句號，沒有終結，沒有彼岸。」漂流美學觀念使他對故鄉重新定義。在他的定義裏，家園不再僅僅是地理意義上的家園，而是情感的家園，靈魂的家園。它可以在你的頭上漂泊，可以在你的身邊微笑，可以在茫茫的黑夜中爲你點起一支不滅的蠟燭，可以在沙漠中爲你展示一片亮麗的綠洲。它是書籍，是良知，是母親，是妻子，是兄弟，是友人，是歷史，是記憶，是童心，是思想，它是歸宿又不是歸宿，它是父親不斷叩問人生終極意義的過程。父親選擇「隙縫」作爲他的生存基點，選擇「漂流」作爲他的美學，實際上是他思索人生、體驗人生的一種方式。這一方式所覆蓋的精神內涵，是世紀末任何喧囂浮華的耽美文字所無法轉述的。它屬於我父親的「心靈孤本」，獨特的人生原版。他的生命版本，不重複前人，也決不會爲後人所重複。

自一九八九年以來，父親除了出版了學術論文集《告別諸神》、長篇對話錄《告別革命》（與李澤厚）、雜文集《人論二十五種》以外，還出版了五本散文集：《漂流手記》、《遠遊歲月》、《西尋故鄉》、《獨語天涯》和《漫步高原》，都屬於他的《漂流手記》系列。我所編選的這本集子，就是從這五卷散文集中選取出來的。

我在這本集子中按不同的形式內容分爲八輯，前三輯最能表現他在海外生活期間的心情和精神狀態。父親這一代人與我這一代人最不同的地方，莫過於有無沉重的使命感了。縱使已經經歷了無數的災難，他們這一代人，仍然要拚着自己所有的氣力，去承受生命中難以承受之「重」。這幾乎是一種宿命。到了海外之後，他除了放不下「重」之外，又多了一種難以承受的「輕」。「輕」同樣也能使人窒息，它以無邊的孤獨包圍着你，以死一樣的寂靜嘲弄着你。漂流之初，父親寫道：

儘管被真誠的朋友包圍着，儘管妻子就在身邊，但總是感到孤獨。任何安慰，任何溫情，任何美麗的故事都無法抹掉籠罩於心中的孤獨感。此時，我才領悟到孤獨的龐大。穿越孤獨，就像穿越巨大的、無邊的夜宇宙，一切努力都是徒勞的。（見《孤獨的領悟》）

這種孤獨感的龐大，實在讓人不知所措。我至今仍記得父親被突然拋出故土時那副茫然無依的樣子。當時的我才剛過二十歲，無法理解他遠離家國的焦慮與不安。然而，這些焦慮與不安並不能影響他繼續進行詩意的思索。他仍以思想者的敏銳，對西方文化中物質文明所產生的「肉人現象」，懷着批判的態度。雖然我們同樣都徘徊在中西文化的邊緣，可是他對兩種文化體系帶着一份更深邃的思考。這種思考又使他的孤獨感的內涵一步一步深化、豐富，最後他竟然以能夠「佔有孤獨」而感到無限喜悅。《漂流手記》五卷正好反映他的這一心路歷程。

在海外，他最初的生活很不安定，滿世界漂泊，從芝加哥到波德（Boulder），再從波德到斯德哥爾摩，後又從斯德哥爾摩到溫哥華，最後才定居波德市。先後周遊近二十個國家。每次換一個地方，他都得把身外之物減輕又減輕，帶着最簡便的行李到新的地方。母親與妹妹一直跟着他，每次剛剛建設好一個家，又得趕快捨棄，重新輕裝前行。但是，不管怎麼取捨，他總是要帶着《紅樓夢》與聶紺弩浪迹天涯。祖國文化像行裝似地伴隨着他。我選了一些父親周遊世界的散文，這些散文不只是遊記，而且是心靈之旅。既遊山遊水，又遊心遊思。外界空間的變化，也使他的內宇宙變得更加奇妙。每到一個新的文化環境，他身上所肩負着的歷史和文化背景就會迫不及待地抓住新的夥伴，展開對話。通過對話，他的思想變得格外活潑，他開始重新觀照自我，開始「自嘲」，開始從傷感中解脫。我最愛讀他那些帶有「自嘲」口吻的文字，這些文字使他的單一主體變成多元多重主體，每個主體之間的相互對話都爲他的自我重塑做着鋪墊。「自嘲」是超越自我、解剖自我的方式和途徑，名聲越大越是難以做到。然而，父親卻做到了。在漂泊旅程中，他對名聲刻意瓦解，對「永恆鄉愁模式」刻意顛覆，以往的漂流文學總是重複着沉重的鄉愁模式，「涕淚飄零」的老曲一遍遍地在遠遊者的耳邊迴響，而父親則刻意給予解構。「自嘲」中的笑，比起「涕淚飄零」中的哭，多了一分距離，一種對話，它讓自我有了超越自我的力量，避免成爲一種權力，也避免纏綿癡迷於自怨自艾中。

第四輯是父親對過去生活的回憶。從這些散文中，可看到故鄉在父親的定義中是「情感的故鄉」，而他是一位實實在在的「多情人」。過去的友人，友人們身上的人性光輝，友人所經歷的歷史磨難，這一切在父親的海外生涯中，變得異常清晰。祖國和故鄉在他的回憶中，不是大而無當的概念，不是拘泥於地理界限的「泥土意識」，而是一個個鮮活的生命個體，以及這些生命個體後面的歷史背景與情感背景。父親曾叮囑我，要珍惜你身邊的朋友，他們是你生命中重要的一部分。他告訴我，每次他失去一位心愛的朋友，都能感到自己生命的一部分在悄悄死亡。他緬懷亡友，也是在哀悼自己生命中逝去的那一部分。而這部分的生命並非完全屬於個人，它也負載着一個痛苦的時代。

在本書的第五輯中，我選擇了一些最富有實驗性的文字。通過引進半虛半實的形式——散文中最不常見的形式，父親故意抹去了人與獸的界限、實與虛的界限，主體與客體的界限，藉以表達存在的荒誕感和人性的頹敗。這些描寫黃鼠狼、巨牡丹、荒原狼的散文在海外發表後，曾引起激賞，但它近乎寓言，也許研究家們會覺得它不符合散文規範。

父親還喜歡寫雜文，這些雜文是一種情感性的社會批評與文化批評。我收在第六輯中。父親的雜文很有思想，而思想又有血肉，不像學院派的文字。這些雜文其實是反省性的。它一方面是「思他思」，另一方面是「思我思」。後者用他的話來說，「即把自己作爲靜觀對象，對自己的建築進行批評，把自己的偶像打破，然後撿起有用的碎片，又找新的路。」（見《最後的偶像》、《思我思》）他文字鮮活，正是因爲敢於打破自己曾苦心經營起的理論構架。以這種鮮活的語言去討論《紅樓夢》，討論歷史、電影、詩人和學者，父親獲得了一種書寫的自由，不受拘束地遊思於理性和感性之間，遊思於嚴肅文學和大衆文化之間。然而，他的遊思又時時刻刻帶有知識分子與生俱來的批判立場。在《沒有酸氣的薩依德》一文中，他除了認同薩依德的定義——「知識分子就是對權勢說眞話的人」以外，還提出知識分子需要具有第三種批判，即自我批判。他自己便是抱着這種態度。

最後一部分是從《獨語天涯》的一千段隨想錄中挑選出來的。這些文字是散文的變奏，由筆記、隨想錄、散文詩、悟語等組成。通過不同形式的變奏，父親爲我們揭示了一個眞正屬於他自己的精神故鄉——童心的世界。在父親眼裏，「童心並不只屬於童年，形而上意義的童心屬於一切年齡」。如果人一生下來便是無所皈依的，如果我們所生存的世界只不過是他鄉，那麼，「地上的天國就是你的天籟世界，童心就是這天國的圖騰」。回歸童心，也就是要拋棄所有虛僞的假面，重新擁有世界之眞和生命之眞。父親的西尋故鄉，實際上是尋找到了他自己生命的本原。以童心視角看世界，對人生便有一份更寬容的理解，這正是他個人的生命哲學，也是他對整個世界詩人般的期待。散文作爲一種藝術形式，在文學創造中最需要自然與眞實。詩歌可用曲筆，意象與意象之間是跳躍式的，不屬於我們日常生活中的那種邏輯；小說可保持虛構的權利，人物和情節與作者的關係可近可遠、可虛可實；然而，散文則大多以直筆出現，寫的都是眞實所感與眞實所想，很難掩蓋作者自己的人格，是一種人格轉化的形式。王安憶在《情感的生命》（見《漂泊的語言》，作家出版社）中，對散文有非常精彩的定義，她說：「散文，眞可稱得上是情感的試金石，情感的虛實多寡，都瞞不過散文。它在情節上沒有技術可言，同語言的境遇一樣，它有就是有，沒就是沒。」王安憶把張愛玲的散文同加繆的散文相比較，認爲張愛玲雖然開始涉及人生的內容，雖然能夠理解人生的悲傷與虛無，但其思想與情感，都還只是她小說的邊角料，是零碎樣的東西，最終仍是解脫出來，站在一邊，成了一個人生戲劇的鑒賞者；而加繆則是一個沉浸於思想、創造思想的作家，他的散文有着一些相當重要的事情，它「重要到與人的存在有關，它是一些對人生大問題的苦思冥想」，他的寫作「是不留退路的思維方式，一無圓滑之氣，也沒有世故之念」。我很同意王安憶的論述，而且認爲父親的散文是接近加繆的那種，是「對思想有感情的人」，能把「抽象的東西表達得情義綿綿」。

讀父親的散文，就彷彿看到他這個人，彷彿面對面地聽他講述他的漂泊之旅。我被他的描述所感動，他是那樣認眞、誠實、一絲不苟地把他的悲歡告訴你，把他在新的生活裏的每點每滴的困惑與進步告訴你，把他在人間中的一切感悟告訴你，把他以童心擁抱歷史與今天的秘密告訴你。一切都是眞實的，不摻一點假。作爲他的女兒，我是他日常生活的見證人。我跟父親之間沒有兩代人固有的代溝，他的心靈永遠是開放的，對他所不了解的事物，總是好奇地問個不停。所有的朋友都喜愛他，因爲他的心是一座永不設防的城。散文本來就是一種流動的、漂泊的語言，父親來到海外後，選擇散文作爲他的主要寫作形式是很對的。他說：「我這些年喜歡寫些散文，就是因爲我的心思已脫樊籠，所有的文字都出自己身的天性情思和再生的愛意。」（見《初見溫哥華》）只有散文這種自由的形式能夠負載他的漂泊之旅與心靈之旅。現在國內開始出版我父親的書籍，我眞是替他感到高興。但願所有讀到這本書的讀者，不僅能夠看到我父親如何在漂泊的旅程中尋找情感的故鄉，而且也讓自己的心靈成爲他寄託情懷的故鄉。

寫於一九九八年八月二日

註：此文係爲父親的海外散文選集所作的序。一九九八年我應約爲安徽文藝出版社編選了《劉再復海外散文集》。

《現代文學諸子論》序〔註〕

一九九四年父親出版了學術論文集《放逐諸神》（香港天地圖書公司）後至今已經九年。這些年裏，他除了和林崗教授合著《罪與文學——關於文學懺悔意識與靈魂維度的考察》（牛津大學出版社）之外，還寫了不少學術論文。最近幾個月，他忙於寫作《面壁沉思錄》（《漂流手記》第九卷），便委託我利用暑假幫他蒐集、整理成集。這部集子收錄的正是父親對中國現代文學幾位表性作家的評論。

第一輯是關於魯迅和巴金的。收入二〇〇一年紀念魯迅誕辰一百二十週年的兩篇文章和的一個對話錄（與李澤厚先生），以及爲巴金百歲壽辰所寫的〈巴金的意義〉一文。父親從研究魯迅起步，靈魂一直和魯迅息息相關。儘管他對早期魯迅研究中未能完全擺脫意識形態的陰影作過反省，但他的自我批評並非自我停頓，而是把自己對魯迅的認知切實地推向前進。這之後，儘管他的學術範圍遠遠走出魯迅之外，但從未放棄過對魯迅的閱讀與思索。他一直堅定地認爲，魯迅是中國現代文學史上最偉大的作家，是中華民族大苦悶的總象徵。無論是精神內涵的深廣度還是寫作的文體風采，都在其他中國現代作家之上。也許父親本身就是一個思想者，所以他對具有巨大思想深度的魯迅總是以整個生命去閱讀和領悟。對於魯迅，他除了進行理性思考外，還有一份崇仰的感情在。大約是情理兼有，所以他完全不能接受對魯迅的傷害，無論是捧殺性傷害，還是扼殺性傷害。近二十年來，尤其是出國後十三、四年中，父親的學術視野進一步打開，對魯迅的長處與短處也看得更爲分明。〈中國文學的奇迹與悲劇〉和〈魯迅的復仇情結與復仇意象〉，篇幅不算太長，但說的都是緊要處。魯迅與同時代的思想家、文學家陳獨秀、胡適、李大釗等相比，到底深在哪裏？父親認爲：（一）魯迅看到中國不僅有個制度問題，還有一個文化問題，即國民性問題。文化變成黑染缸，什麼好制度進入都會變形變質；魯迅獨特的思想貢獻就在於它揭示和批判了中國文化深層結構即集體無意識（國民性）的病態與病根；（二）魯迅不僅作爲啓蒙家關注中國的「生存」問題，而且超越啓蒙，關注「存在」問題，是中國現代文學史上唯一對存在意義進行深度叩問的大作家。但他超越啓蒙、擁抱「此在」的孤獨時刻又繼續擁抱人間苦難，與陀斯妥夫也斯基側重於個人精神拯救相比，表現出深厚人道主義情懷的思想者特色。

讀了父親新寫的文章，再翻翻二十年前他所寫的《魯迅美學思想論稿》，就覺得新近的思想深邃成熟得多。因爲父親對魯迅的認識出自生命深處，乃是一種多年錘煉而凝結成的觀念，所以他既不同意李愼之先生的看法，也不贊成夏志清先生的看法，就很自然了。這裏只有對待眞理的問題，沒有人事關係的問題。

第二輯收入關於高行健的四篇文章。二〇〇〇年高行健獲得諾貝爾文學獎之後，香港明報出版社出版了父親的《論高行健狀態》，收集了獲獎前父親爲高行健著作所作的序、跋和評論文章，和獲獎後父親在香港諸所大學所作的關於高行健的演講。本集所編入的文章均是《論高行健狀態》一書出版之後的新作。高行健獲得諾貝爾文學獎後，不僅把獎章（副章）贈給父親，還特別送一字幅給父親，上面寫道：「得一知己足矣」，可見他們的情誼之深。父親的確非常欽佩高行健的文學天才，而且從上世紀的八十年代中期就開始評價高行健的戲劇，把它視爲中國新時期文學的主要成就之一。到海外之後，他對高行健那種不同於古典情節戲及現代境遇戲的「狀態戲」（把人的存在狀態搬上舞台）和「心靈戲」更是推崇備至。父親有一重要的思維方式是「固然要重視語言但更要重視語境」，他正是在缺少個人聲音的中國語境下發現高行健充分個人化的文學立場和文學狀態的價值。也許還因爲父親特別喜歡禪宗，所以他便更深地走進充滿禪意禪性的高行健世界，充分理解高行健尋找「靈山」的靈魂之旅和內心變奏以及富有原創性的寫作方式，並對高行健強調「自救」、強調「當下」、強調「回歸內心眞實」、強調「得大自在」的哲學理念產生深深的共鳴。

第三輯是一篇關於金庸小說的概說。一九九八年，父親參加召集在美國科羅拉多大學東亞系舉行的「金庸小說和二十世紀中國文學」的國際學術討論會，並發表了會議導言。在中國現代文學史上，金庸確實是個奇觀。對金庸作品的閱讀，父親也許不如我和我妹妹那麼「狂熱」，對其細節也未必能比得上金庸迷們，但是，他卻能把金庸放在整個中國文學發展的宏觀語境下，概說出金庸在現代文學史上的地位與貢獻，指出他代表中國現代漢語文學整體結構中與「新文學」並行的另一脈絡。由於五四外來西洋文學的大量傳入並引起作家學習、模仿，於是漢語文學出現了兩個不同的文學傳統，新詩、話劇、短篇小說這些都可以稱作「新文學傳統」，而以譴責小說的蛻變爲開端，繼而是鴛鴦蝴蝶派小說、舊派武俠小說等，即被以往稱作「舊文學」的那部分文學，則形成了「本土文學傳統」。金庸所繼承和代表的，正是本土文學傳統。如果說魯迅是「新文學傳統」最優秀的代表，金庸無疑就是二十世紀「本土文學傳統」最傑出的代表。父親還在另一篇文章中評價說，金庸不僅給中國貢獻了一個韋小寶（與「阿Q」並列的玩弄生存小技巧的典型），還貢獻一個獨特的女性形象系列和男性英雄形象系列，而且貢獻了一種只屬於金庸名字的沒有歐化痕迹與意識形態痕迹的白話文體，在現代書寫中保持和發展漢語的韻味與魅力。

第四輯也僅有一篇論文：《評張愛玲的小說與夏志清的〈中國現代小說史〉》，此文是父親在海外所寫的具有代表性的學術論文之一，這裏蘊含着他的學術理性和學術良心。父親很喜歡讀張愛玲的小說，也充分肯定夏志清先生《中國現代小說史》開掘被「歷史活埋」的若干作家的功勞。但父親尊重前輩也尊重事實，不得不與夏先生商榷，不得不爲魯迅、趙樹理等說話，不得不嘆惜張愛玲沒有把純文學立場貫徹到底而導致天才「夭折」的悲劇。父親的文學批評尺度一是看其文采，二是看其精神內涵的總量。就其後者而言，魯迅在現代中國無人可比也不是張愛玲可比的。而父親雖然批評過《李家莊的變遷》，但覺得趙樹理筆下的農民是紥根於深泥厚土的活生生的生命，並非張愛玲《秧歌》中那種理念化的農民，所以趙樹理自有其成就。父親與夏先生的討論，肯定有益於學術發展。在尊重論爭對象的前提下，作出某些質疑本也是學術的應有之義。最後一篇文章是爲李劼的歷史小說「春秋三部曲」（《吳越春秋》、《商周春秋》和《漢魏春秋》）所作的序。父親一直認爲，生命語境和人性語境大於家國語境和歷史語境。漂流海外的李劼先生所作的歷史小說，正是借歷史抒寫生命，尤其是女子詩意的生命。以往的史書，往往是男人的歷史，勝利者的歷史，李劼把它翻轉過來，視女子爲歷史的自然，把失敗的英雄看作詩意歷史的一部分。大約是這種基本文學視角深得父親的欣賞，所以他稱李劼的小說爲「新歷史小說」，並給予很高的評價。

藉着編選集子的機會，我得以較系統地閱讀近年來父親的學術論著和評論文章，讀後真是喜愧交加，喜的是看到自己的父親總是不辭辛苦地往前走，而且越走越深，越走越在學術與生命的銜接處發放思想的光彩。另一方面自己則感到慚愧，與父親相比，自己的中文寫作，成績太差，父親的每一部新著，都給自己增加一份壓力。不過，這些壓力也許正是父親的手臂，它正好也推着我不斷往前求索。

二〇〇三年夏季寫於馬里蘭大學東歐與亞洲語言文學系

註：《現代文學諸子論》於二〇〇四年四月由牛津大學出版社出版。

後記

朱天文在她的小說《世紀末的華麗》中塑造了一個後現代的都市女性米亞，生活在琳琅滿目的服裝品牌裏，滿屋子都是乾花乾草，都市文化點點滴滴地滲透到她的骨髓裏。在她居住的家中，大自然的色澤日漸消失——整個過程就像鮮亮的玫瑰花一點點變成了乾花，作爲擺設的乾花似乎在延續着生命的記憶，可是這種延續裏卻有些虛假。小說結尾，作者指出了現代女性的出路：「年老色衰，米亞有好手藝足以養活。湖泊幽邃無底洞之藍告訴她，有一天男人用理論與制度建立起來的世界會倒塌，她將以嗅覺和顏色的記憶存活，從這裏並予之重建。」

女模特米亞的生活是一種典型的都市生活，她就像一個衣架子，活在各種品牌和不同質地的衣服裏，而每件衣服都有某種「亞文化」的內涵。嗅覺和顏色固然很有女性的意味，可是因爲離開了生命的本眞，顯得很縹緲——像幻覺，像畫境，讓人觸摸不到。看到米亞的未來，我心裏不由自主地湧起一種對大海、對森林、對花開花榮的渴望，這種渴望是對實實在在的生命的渴望。我覺得女性的世界應該建立在深邃而自由的情感湖底——只有那裏才會生長出女性的創造力。柔軟、流動、沁人心肺的流水有着綿綿不斷的力量，這當然比那片乾扁的玫瑰花瓣長久、實在多了。

我所定義的「液態寫作」或「水上書寫」尋求的其實就是這種眞正屬於女性的源泉——女性創造力的源泉。在「輯一」中，我寫了一群獨特的女性，有女導演、女作家、女畫家等。我寫她們，是因爲她們的存在方式與創造方式給我帶來了激情與靈感。這一群女性像狂歡的女神，勇敢地衝破男性規範的束縛，回到生命的本體中，回到有着大海般韻律的女性身體裏，回到女性創作者的內部，從那裏出發，去思想、去感受、去創作，在燃燒的生命中尋找眞我，在種種人生的困境中尋找基本人性的永恆內涵。在我眼裏，她們的藝術是一場場輝煌的凱旋：不僅成功地回歸於眞實，也成功地回歸於生命的本然。比起她們，被都市物質生活剝離得只剩下空殼的米亞們，好像丟了靈魂，如同乾花一樣易碎。

這部集子收入了我來美國後陸陸續續寫下的一些中文文章。自從二十一歲來美國後，我主要都是用英文寫論文、寫書，受學院派的影響很深。也許因爲常常寫學術論文，我沒有充分感受到寫作的快樂。倒是散文寫作給我帶來了一種心理平衡，讓我在枯燥的學術生涯裏還能觸及到眞實的生命。雖然我非常喜歡用散文寫作，可常常忙得顧此失彼。好在有父親逼迫，於是尚能有所完成。去年九月，父親來馬里蘭看我和孩子，建議我把這些文章整理成書，看我漫不經心的樣子，他乾脆自己動手，把我的書房翻個遍，於是編成了這本集子。如果父親沒有親自把這些文章找出來、並且編出來，它們的命運一定會像我青年時代寫的散文詩——先是被擱置一旁，然後很快就消失在時間裏。對自己寫過的東西漫不經心，並不是故作姿態，而是因爲我對過去的作品總是不滿意，總是相信自己還會寫得更好。不過父親說，雖然他相信我以後還會有長進，可是這些文字卻是我心靈的記錄和成長的見證。

無論我用中文寫些什麼，父親總是我的第一位讀者。我每次寫完一篇文章，總是迫不及待地傳眞給他，希望盡快聽到他的評語。如果寫得好的話，即使他遠在香港和科羅拉多，我也能夠感覺得到他驚喜的眼光，那目光似乎照亮了我的稿紙，讓我更加熱愛文學。有這麼一位知音般的父親是很幸福的，不過，我同時也感到壓力很大，因爲父親對我的期待有時候過高了。母親在現實生活中則給了我許多實際的幫助。自從我生了孩子後，時間變得異常緊迫。每到艱難時刻，母親都毫不猶豫地從科羅拉多趕來幫我帶孩子。沒有她的幫助，我絕對無法完成我的第一部英文著作和這本中文書。我雖然至今還沒有像父親那樣寫一篇《慈母頌》，獻給自己的母親，然而，自從我也做了「媽媽」以後，倒是逐漸感受到母親的偉大，心裏對她充滿了感激。我的先生黃剛，是我大學時代的戀人。他對我始終如一的愛情，滋潤着我，給我單調的學術生涯帶來了鮮亮的色彩。我們可愛的兒子，就像是大自然的一部分，充滿了天眞天籟，他才是我最得意的作品，什麼文字都不會美過生命。

在此，我還要衷心感謝明報出版社總編輯潘耀明先生和這本書的責任編輯彭潔明小姐。他們對我的厚愛與激勵，讓我的中文寫作更有信心。

二〇〇四年三月

明月文庫
主編
潘耀明

狂歡的女神

劉劍梅 著

責任編輯
彭潔明

封面設計
李錦興

明報出版社有限公司
《明報月刊》
聯合出版

二〇〇四年六月初版
ISBN：962-8841-49-1

明報出版社有限公司發行
香港柴灣嘉業街18號明報工業中心A座15樓
TEL：2595 3215　FAX：2898 2646
http://books.mingpao.com/
e-mail: mpp@mingpao.com
新加坡總代理
商務印書館新加坡分館
美雅印刷製本有限公司承印